モンスターを書く

創作者のための怪物創造マニュアル

Writing Monsters

How to Craft Believably Terrifying Creatures to Enhance Your Horror, Fantasy, and Science Fiction

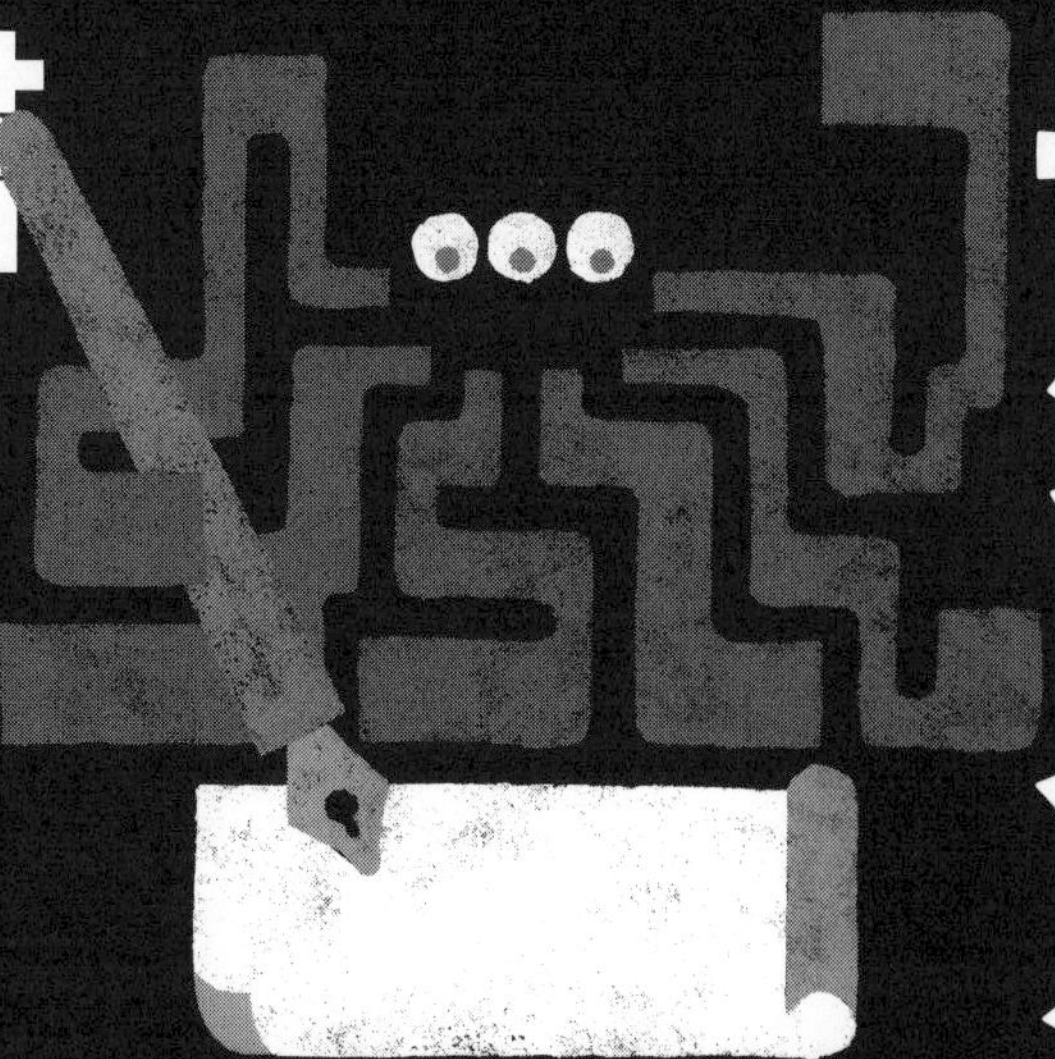

フィリップ・アサンズ──著
Philip Athans

H・P・ラヴクラフト歴史協会──序文
Foreword by the H.P. Lovecraft Historical Society

島内哲朗──訳
Tetsura Shimauchi

FILM ART
フィルムアート社

Writing Monsters
How to Craft Believably Terrifying Creatures to Enhance Your Horror, Fantasy, and Science Fiction
By Philip Athans
Foreword by the H.P. Lovecraft Historical Society

This edition published by arrangement with Writer's Digest Books,
an imprint of Penguin Publishing Group, a division of Penguin Random House LLC
through Tuttle-Mori Agency, Inc., Tokyo

まだ誰にも本を捧げてもらったことがないジョージに、この本を捧げよう。
どうせ何かを捧げられるなら、モンスターの本がいいと思ってさ。

謝辞——

まずは、私のインタビューに果敢に応じ、それぞれの視点、経験、そして創作の秘訣を惜しみなく本書執筆のために貸してくださった皆さん。リン・アビー、スコット・アリー、リチャード・ベイカー、ブレンデン・デニーン、マーティン・Ｊ・ドアティ、アラン・ディーン・フォスター、ニナ・ヘス、チェルシー・クィン・ヤーブロー。皆さんのお陰でこの本の品質は何万倍も向上した。

そして、本書に引用させてもらった様々な作品を世に送り出した小説家、映画監督、ゲーム・デザイナーの皆さん。最高のモンスターをありがとう。

そしてＨ・Ｐ・ラヴクラフト歴史協会の皆さん。夜闇の中でゴソッと音を立てる恐ろし気なモンスターについて語るにあたって、必ずしも偉大なＨ・Ｐ・ラヴクラフトに依存しなくてもいいのかもしれないが、そんな強情を張っても徒労だと私は知っている。

さらに、フィル・セクストン、ピーター・アーチャー、ライターズ・ダイジェスト・ブックスの皆さん、Ｆ＋Ｗメディアの皆さん。そして忘れてならないのが無限に辛抱強いジェイムズ・ダンカン。優秀な編集者がいかに不可欠なものか、編集者である私には痛い程わかる。あなたのことですよ、ジェイムズ。本当に助かった！

嗚呼、我が創造主よ！　怪物どもがどのようにでっちあげられたか知っている者だけに、怪物どもが自らをでっちあげた、あるいはでっちあげなかったかもしれないということを知っている者だけに、怪物が見えると仰るのですか？

——シャルル・ボードレール

［目次］

第三部 モンスターの書き方

凡例

◎長編小説作品・長編映像作品は『』、短編小説作品、短編映画作品、シリーズ作品名、雑誌名等は「」で囲んで表記した。なお映画作品については( )にて公開年を付記した。

◎註は原註を示す。本文中の訳者による注記は[ ]で囲んで表記した。

◎書籍内での引用について、日本語既訳の存在する作品は該当箇所を参照のうえで、訳者がすべて新たに訳出した。

◎未邦訳の書籍については、原題記載の後ろに( )で直訳題を記載した。

序文

H・P・ラヴクラフト歴史協会

フィリップ・アサンズの素晴らしい『モンスターを書く』を読んだ感想は、楽しいの一言に尽きます。モンスターといえば、我がH・P・ラヴクラフト歴史協会の正当なメンバーなわけですが、なにしろ深きものどもが冬至を祝う歌を謡い、「ショゴス」は会員の肩書という私たちにとって、モンスターたちがいることが当たり前すぎて、どれだけ特別な存在かということを忘れてしまうこともあります。しかしアサンズさんの著作は、読者にモンスターたちが本来持っているパワーや、無限の多様性、そして様々な姿形を思い出させてくれます。モンスターたちには、私たちを怖がらせ、楽しませ、内省を迫る力があるということを。

　アサンズさんは広範な文献から驚くほど多様なモンスターたちを引用してくれますが、その中でも特に、H・P・ラヴクラフトの作品が適切かつ頻繁に引用されることに、歴史協会のメンバーとしては喜びを隠せません。アサンズさんが書いたとおり、ラヴクラフトは、まさに「モンスターのマスター」なのですから。

ラヴクラフトの世界においては、モンスターは常に私たちの周囲に、まさにありとあらゆるところに存在しており、文献を読んだり目で見て知った知識のみに頼ったばかりに、モンスターが見えていなかった人間たちは、そのことを悟って後悔するのです。地中、海中、宇宙、家の玄関先、そして宇宙の中心で、狂ったようにその身を捩ってのたうつモンスターたち。ラヴクラフトのモンスターは、想像し得るすべての場所に存在します。別の次元、別の時間からやってきた異星の種族。理解できないような力を持った神のような宇宙的存在。異種的な交合の結果産み出された奇怪な生物たち。狂った科学者が創り出した名状しがたい化け物たち。黒魔術やありえないような技術によって創造された怪物たち。ラヴクラフトは、制御不能のショゴスを創り出した古のものたちのように、モンスターを創り出すモンスターすら創造しています。ラヴクラフトが想像した世界においては、人類ですらモンスターが創造される課程で産み出された過ち、いや下手をすると何らかの悪戯の結果にすぎないのかもしれないのです。

ラヴクラフトが自分のことを人間というよりモンスターだと認識していたの

は、間違いありません。実際彼は普通の人々には関心を持っていませんでした。問題の多かった子ども時代。長期に渡った健康上の問題。早熟で繊細な彼は、自分自身にも、自分以外の人間たちに対しても疎外感を感じていました。初期の著作「アウトサイダー」は、鏡に映った自らの姿を初めて見た主人公が、自分こそが恐ろしいモンスターだと悟る場面で終わります。イスの偉大なる種族によって精神を乗っ取られる男を描いた「時間からの影」の内容には、一〇代で長期間患った神経衰弱の症状との類似が見られます。

自分が時間と空間という檻に閉じこめられていると感じていたラヴクラフトは、そのような制約を受けないモンスターを好みました。ミ＝ゴは恒星間を自由に移動し、旅の途中で遭遇した種の中から特に優秀な精神を採集して回りました。偉大なる種族は姿形を変えたり、時間を越えて旅をしながら各時代の情報を得ることができました。そして奇怪な古のものたちは、ラヴクラフトがモンスターに求めたすべてのものを体現していました。「放射状。植物。怪物。宇宙から生まれ出でしもの……かつて彼らが何者であったとしても、彼らは人類なのだ！」。ラヴクラフトによって創作された異形でありながら無限の知性を持つモンスターたちは、彼自身の分身でした。彼らは、広大な宇宙と冷酷非情な時間を支配する能力によって、人間というちっぽけな存在を超越するのです。

自分のことをモンスターだと思ったラヴクラフトですが、彼に相談に乗ってもらったり助けてもらった友人や作家たちは彼に好意的でした。ラヴクラフトは小説以上に手紙を書き残したということは、意外と知られていません。彼は若くて経験の浅い作家たちに思慮深い助言の手紙をたくさん書きました。そんなラヴクラフトと同じような気持ちから書かれた本書も、小説や脚本、ゲームのシナリオ等、様々な分野で何かを書こうとしている人たちの助けになることでしょう。モンスターというものを豊富な例を引いて深く考察した本書が、読者の皆さんの想像力に火を点けますように。そしてその炎が皆さんの作品を受け取る人たちの想像力にも火を点けますように。

これから素晴らしいモンスターを創作していく皆さん、どうかモンスターから神秘性を奪わないでください。ゴジラやドラキュラ、そしてゾンビといったモンスターがポピュラー文化という舞台の真ん中で注目を浴びています。しかし一方で、ラヴクラフトが創作したモンスターたちはどれも掴みどころがなく、潜在意識の片隅に存在するような、異質の怪物たちです。歴史協会のメンバーとして、モンスターの世界に対する根本的な貢献を果たしたラヴクラフトが、より称賛を集めることを望まないでもありませんが、しかし、クトゥルフや、ヨグ＝ソトース、宇宙からの色、そしてその他多数の有名な怪物たちは、私たちの意識の境界にある影の中にこそ潜んでいるのだという事実は、喜んで受け入れなければなりません。そこがラヴクラフトのモンスターたちが居るべき場所であり、そこに居るからこそラヴクラフトのモンスターたちは最も恐ろしいのです。未知で理解不能だからモンスターは怖いのです。明るい光の中に出てきてしまったら、恐ろしさは半減してしまいますから。

Ludo Fore Putavimus,

（ほんのお遊びのつもりが……）

アンドリュー・リーマンとショーン・ブラニー

H・P・ラヴクラフト歴史協会
www.cthulhulives.org

イントロダクション――
リアリズムvsもっともらしさ

「ない、ない、ありえない」。

よく耳にする文句。これは、読んだことすら忘れてしまうような書籍やD級モンスター映画、そして出来のよくないテレビドラマに対して、きみの友人たちや批評家が、そしてきみ自身も口にする常套句だ。

極めて一般的な批判ではある。しかし、ファンタジー、SF、ホラーといったジャンルに私たちが求めているのは、本当にリアリズムなのだろうか。このようなジャンルに属する本や映画やドラマは、そもそもその成り立ちからして非現実的なのではないのか？　まずそのことにちゃんと向き合おう。竜が飛来した途端、そして宇宙船が光速を超えて航行を始めた瞬間、または誰かが狼人間になったその刹那、「それは現実的《リアル》かどうか」という見方そのものが崩壊するのだ。

しかし、この認識があっても「ありえない」という批判が消えることはない。あの飛行猿はリアルじゃない。異星人文明のサイボーグが嘘っぽい。吸血鬼がありえそうもない。

意味論の練習問題みたいだが、ちょっと考えてみよう。私たちは、そのようなものに対して「非現実的」だと感じるのか、それとも「もっともらしくない」と感じているのか。両者を分かつ線は微細なものだが、ファンタジーやホラーといったジャンルの創作者(媒体不問)にとって、これは本質的な問いなのだ。

何かを指して「現実的」と言った場合、それは実際に現実世界において観察し得る定義や形状、性質に照らして相違がない、ということだ。犬を例にした場合、私たちが知っている犬の行動や外見の描写、つまり私たちが犬について知っていることがすべてということになる。

しかし、竜に関して「私たちが知っていること」を並べようとしてもそれは不可能だ。実在しない生物に関して、実例に従って知りうることなどない。だから私たち創作者は、想像上の怪獣に現実感を与えなければならない。読者は、きみが書いた本に登場する想像上の何かが、犬に関する描写のように現実的な観察の賜物ではないことくらい承知しているが、それでも物語が繰り広げられる想像上の世界の中で、整合性のある理屈を与えなければならない。きみの創作物を読んだ人が「うん、ありえる」と言ってくれるようにしてあげなければならない。

ちょっと現実を離れてありえない何かを味わいたいから、私たちはファンタジーやSF、そしてホラーの本を読んだり映画を観るのだ。そして、この手のジャンルに属する作品は、その非現実性を隠そうともしない。表紙もポスターも、ボックスアートを見ても一目瞭然。そこには手に取ったきみがこれから入っていく奇妙なファンタジーの世界や、未来世界が描かれている。このジャンルのファンたちは「リアルでないもの」が好きなのだ。竜が存在しないことくらい皆わかっている。でも読者は、創作者にいかにも実在しそうな「もっともらしさ」を求めているのだ。

この章以降、モンスターというものについての議論が展開されていくわけだが、その推進力となる考え方はこの一点に尽きる。モンスターは、文字どおり、何でもありうる。伝説上の怪物はどんな大きさでもありうる。それは創作者であるきみが決めること。地球外生物がどれほど異様でも、それもきみが決めること。ただし、どんなモンスターを考案するにしても、きみの作った想像上の世界の法則に従わなければならない。きみが考案した獣が想像上の産物に過ぎないのは誰でも知っているとしても、きみ自身が決めた法則から外れない限り、想像上の産物は受け手の心の中で命を得て動き出すのだ。

画家のゴヤがこう書いている。「理性に見捨てられた夢想《ファンタジー》が、ありえない怪物を生む。理性と結びついた夢想は芸術の母であり、驚嘆すべきものの源泉なのだ」。これこそが、ファンタジーやホラーを創作する者に課された責務だ。きみが書いたファンタジーやSFの物語に読者の参加を誘う以上、自分が創作する異常な世界とそこに巣食うものたちが「いかにもありえそう」に作る義務が、きみにはある。

この義務を真剣に果たそう。

本書の使い方

タイトルが示しているとおり、これはモンスターの書き方についての本だが、書き方について深く潜航する前に、私たちが持っている「モンスターとは何か」という共通認識をできるだけ正確に考え、そもそもなぜモンスターというものが存在するのかを探ってみたいと思う。

ファンタジーやSFの世界を構築し、モンスターを考案するという作業は、自分に対する問いかけに他ならない。「モンスターを恐ろしくするのは何か」、「モンスターはどこから来るのか」。本書の第一部では、このような問いかけを繰り返しながらモンスター創造の最初の一歩を進めていく。底知れぬ海の深淵から来た怪物が、無限の宇宙の果てから来た怪物と同じ外見であるはずはない。それぞれできることが違い、身体の機能も違う。さらに「モンスターと悪者は違うのか」という本質的な問いに答えることで、両者を突き動かす動機の違いを探る手がかりも得られる。

どんな物語のどのような要素でも同じだが、モンスターにもその物語に登場する理由がある。第二部では、モンスターがきみが創作する物語に持ちこむものを探求していく。「モンスターの役割とは」、そして「モンスターは登場人物の、そして読者の何を象徴しているのだろうか」。

さらに、モンスターを創造する規則の実践的な決め方のコツ、五感に訴えるような生き生きとしたモンスターの描写の仕方、そして登場人物たちにとってだけでなく読者にとっても恐ろしく、しかも意味のあるモンスターの登場のさせ方。

加えて本書には、以下の五つのカテゴリーに関連した実例を示すためのコラムが登場する。

▼「**偉大なモンスターたち**」——このコラムは、映画や文学に登場するモンスターに着眼する。それはどんなモンスターで、何を象徴していて、なぜ今でも私たちの悪夢に現れ続けるのだろうか。

▼「**モンスターの基本型**」——このコラムは、モンスターの基本型に注目する。竜や吸血鬼といったモンスターを独自のものにする捻りとはどういうものか考察する。同じモンスターでも描き方次第で象徴的な祖型にも二番煎じにもなり得るが、その差は何なのか例を示す。

▼「**現実世界のモンスターたち**」——このコラムでは、私たちの身の回りにいるモンスターを探し出す。サメや自然災害といったものと、火炎を吐く竜や、強酸性の血液を吐くエイリアンには何が共通しているのだろうか。

▼「**未確認生物**」——このコラムで触れるのは、未確認動物学者ジョン・E・ウォールによって「cryptid」と呼ばれることになった、現実と想像の狭間にまたがるように存在する一群のモンスターたちだ。一〇〇％存在するとは言い切れないが、いないとも断言できない。私は一九九七年以来アメリカ北西部に住んでいるが、いまだにビッグフットを目撃していない。だからといっ

て、ビッグフットがいない証拠にはならない。

▼「**モンスター的な諸々**」――このコラムで言及されるのは、モンスターは必ずしも生物とは限らないという事実。幽霊船をはじめとして呪いを受けた物や核兵器そのものも、放射能を帯びた大怪獣と同様に恐怖の対象になり得るのだ。

そして本書の締めくくりとして、H・P・ラヴクラフトの古典的小説を分析し、一見そうとわからないようにさり気なく表現されたモンスターでも十分読者の肝を冷やせることを考察する。ラヴクラフトといえば、「さり気ない」モンスター描写で知られる作家ではないが、その彼をしてこのさり気ない恐怖！

モンスター創作練習問題

これさえあれば他は不要！　というわけでもないが、この練習問題を使えば、きみがモンスターを作り上げるときに役に立つ。考えをまとめて、基本的な疑問を解決し、きみが考案した「規則」をいつでも使えるように明確にする手助けになる。

　本書はどの章も、この練習問題に使える情報で満載だ。ホラー小説を読み始める前にこの練習問題を使ってモンスターを想像してみて、読後にもう一度練習問題で復習という使い方もできる。読書中に文章から何を拾うことができたのかを明らかにする練習にもなる。

練習問題の最初の問いは「モンスターは何と呼ばれるか」だが、もし最初から答えが出ていたとしても、この問いの本当の答えが出るのは執筆が終わってからかもしれない。しかし『エイリアン』(一九七九)に登場する異星生物《エイリアン》は、実は名前すらないのである。名前が思い浮かばなくても「下水道の怪物」とか「ビースト」など、手軽なあだ名をつけておけばいい。しかし名前には、ラヴクラフトが生んだ「シュブ゠ニグラス」またの名を「千匹の仔を孕みし森の黒山羊」のように、その忌々しい姿を現す遥か以前に物語に恐ろしい気配を埋めこむ力もあるのだ。

以下のリンクに印刷用のテンプレートがあるので、自由に使ってほしい。

www.writersdigest.com/monster-creation-form

モンスター創作練習問題——1

名前は?

何を、どのように食べる?

どうやって動く?

どこからやってくる?

外見は?
全体:
頭:
目:
耳:
鼻:
口:
四肢:

モンスター創作練習問題——2

大きさは?

体の表面の特徴と色は?

知能は?

行動の動機は?

何を恐れる?

ダメージを与えられる?

どのような感覚を持つ?

モンスター創作練習問題――3

平均的な人間に優る能力は何?

平均的な人間より劣るのは何?

第二部

モンスターの正体

◎それがどんな怪物なのか考案する前に、次のことを考えてみてほしい。きみはサメというものを見たことも聞いたこともないとする。サメの写真も動画も見たことがない。学校でサメについて習ったことも、動物番組「アニマル・プラネット」で観たこともない。そんなきみに、剃刀のような歯が並んだ顎をかっ開いた実物が迫ってきたとしたら、きみはサメをモンスターだと思うだろうか。
◎作家アラン・ディーン・フォスターによると、モンスターとは「独特の奇妙さを持ち、私たちが見たら一目で恐れを感じる生き物」だ。
◎ならば、サメもモンスターでないわけがない。

第一章 モンスターとは何か？

モンスターと呼べるものは色々とあるが、最終的には「怖い」の一言に集約される。

きみが書く物語に登場するキャラクターが、普通のウサギ程も怖くなく、脅威を感じさせるものでもなかったら、それが風変わりな生物だったとしてもモンスターではない。では、例のサメとか『エイリアン』に出てくるH・R・ギーガーがデザインした悪夢の異星生物のような攻撃的な猛獣でなければモンスターではないのだろうか。その問いに対する答えは一つではない。モンスターといっても姿かたちは色々で、その生い立ちも様々。行動様式も決まったものはない。

『A Practical Guide to Monsters（実用モンスターガイド）』の著者ニナ・ヘスはワシントン大学で児童文学を教える一方、児童から大人まで対象にしたファンタジー小説の編集者でもある。そんな彼女は「異常な大きさまたは外見を持ち、超自然的な力を持つ」のがモンスターだと定義している。

その定義に従えば、市バスほど大きなライオン（異常なサイズ）や、翼の生えたライオン（異常な外見）は、モンスターだ。異常に大きなライオンも翼のあるライオンも、見方を変えれば「超自然的」とも言えるが、個人的にはモンスターが自然界で見られない力や能力を持っている必要はないと考えている。巨大だという以外はただのライオンならば、それはモンスターだろうか。私は「そうだ」と思う。一九五〇年代の古典的なB級映画『放射能X』（一九五四）に出てくる巨大蟻はただの巨大な蟻だが、映画史に残る名モンスターであることに間違いない。ファンタジー小説のベストセラーを連発するリチャード・ベイカーの定義には、より具体的な部分と簡略化された部分が混在している。彼によると「人でない何か。命があり、きみを破滅させたがっている。モンスターの多くは超自然的な存在であるか、または自然の法則に逆らう行動を取る。しかし、そうでなければいけないというわけではない」。

では、人間はモンスターの定義から除外されるのだろうか。フィクションにはモンスターとして描かれる人間が多数存在するし、もちろんそのような人は現実にも存在するが、小説家マーティン・J・ドアティは「モンスターとは非人間的であるがゆえに恐ろしい何者か。物理的、社会的等の観点から人間性が見出しにくい何か。理解不能の行動を取る、または外見が恐ろしい、あるいはその両方」と言っている。そう定義した上でドアティは、外見的にまったく恐ろしくない人間や宇宙人でも、その行動様式や価値観によってモンスターになり得ると書いている。さらに「見るからに恐ろしい化け物であっても、その行動様式が理解されればモンスターではなくなる」とも。

この説は、先ほどのサメの例で示した考え方を補強してくれる。私たちがホオジロザメについて何かを知ったからといって、それでサメが私たちを食べなくなるわけではないが、サメは私たちの目にモンスターとは映らなくなるのだ。この世界の中でどう存在しているか理解できれば、あるいはその動機が少しでも理解できれば、どんなに恐ろしい存在であったとしても、実質的にはモンスターではなくなる。

ホラー作家のチェルシー・クィン・ヤーブローによる定義はさらに単純だ。「モンスターとは、それが出現する社会の中で普通だと考えられている外見や行動あるいは思考に対する歪みなのです」。

では、人間(および人間以外の意識を持つ生物)とモンスターを分かつのは、その行動だけなのだろうか。本書の目的上、悪意を抱いた人間への比重は軽目になっている。結論から言えば、たとえばチャールズ・マンソンのような人を「モンスター」と呼ぶとき、私たちはマンソンの行動を指して「怪物的」だと言っているのであって、彼が人間以外の種に属すると考えているわけではないのだ。

ここまでに挙げたモンスターの定義は、どれも良い定義なので使わせてもらった。それでも、モンスターとは何で、何によってモンスターとみなされるのかという考え方は人によって微妙に違う。私が怖いと思う何かをきみが怖がるとは限らない。だから、これからモンスターとは何かという私の定義を読むときにも、それが究極の結論だと捉えずに、出発点だと考えるといいと思う。

『The Guide to Writing Fantasy and Science Fiction（ファンタジーと空想科学小説執筆ガイド）』に書いた私の定義はこうだ。「ある文明を構成する意識を持った人たちにも、またはその世界に一般的な動物相にも植物相にも属さない生物。種は問わない」。もっと簡単に言えば「モンスターは異質で、怖い」ということだ。そのへんを歩いているときにばったり出くわすとは考えられない何か。たとえそれがファンタジー世界の路上でも、未来世界の宇宙船の機関室でも同じことだ。

何がモンスターを、悪者とも、ヒーローまたは一般的な人間とも「異なる」ものにするのだろうか。この先折に触れてその話をするが、まずは今まで何度か言及したこの言葉から始めよう。何がモンスターを「怖い」ものにするのだろうか。

第二章——何がモンスターを怖くするのか

史上初めてロブスターを食った人に是非会ってみたい。

見るからに恐ろしいハサミと動く触覚をもったあの赤茶けた蜘蛛のような気味悪いものを食べて「美味しい!」と言った人が、何をどう感じたか想像してみよう。ロブスターはハサミのついた巨大な虫だと思っている私なら、悲鳴を上げて逃げたと思う。しかし現在、私たちはロブスターが何で、どんな味がして、特に危険ではないと知っている。恐ろしいことがあるとすれば、謎に満ちたロブスターの「時価」くらいのものだ。

モンスターを創造するのなら、ロブスターよりもっと神秘的なものでなければ。少なくともはじめは一定の神秘性が保たれていなければ。

そこで質問……

私たちは何を怖がるのか

悪魔が支配する世界が舞台のファンタジー小説を書いたときに、私は自分にこの質問を投げかけた。本を読み進めるにつれて危険度が高まるようにしたかったので、主人公たちが悪魔に遭遇するたびに前に遭った悪魔より強力で恐ろしくなるように書いた。そのために、読者が心から恐ろしいと思うものを調べて、それを使わせてもらうことにした。早速ネットで恐怖症ワーストテンを検索した結果は以下のとおり。

1――蜘蛛恐怖症
2――社交恐怖症
3――飛行機恐怖症
4――広場恐怖症
5――閉所恐怖症
6――高所恐怖症
7――嘔吐恐怖症
8――癌《がん》恐怖症

9――雷恐怖症
10――生き埋め恐怖症

程度の違いはあるが、いずれも何かに対する理不尽な不安や恐怖を覚える症状だ。いつ何時罹るとも知れない癌は誰でも怖いが、癌検査のときに不安を感じるのと、正統な理由が一切ないのに癌に罹るかもしれないという不安に凍りつくのでは、話が違う。恐怖症とは、単なる不安とは段違いに病的なレベルの恐怖を指すのだ。

ワーストテンのリストに載っている恐怖症ならば、きみの作品の読者／観客／プレイヤーの中で同じものを恐れる人がいる確率も高いはずだ(リストはいくつもあるので、同じものが見つかるとは限らない)。読者全員が蜘蛛に対して異常な恐怖を覚えるとは限らないが、蜘蛛が一匹いたときに、いや蜘蛛が大量にいたときに多くの人が感じる気味悪さは共有してもらえるだろう。

高まる危機感を表現するために、私はこのリストをひっくり返して最悪の悪魔が最も忌み嫌われる恐怖の対象になるようにした。つまり、最下層の悪魔は地下から現れてきみを生きたまま地中に引きずりこみ、ラスボスの悪魔は蜘蛛の化身、蜘蛛の外見を持ち蜘蛛のような振舞いをするようにした。

このような恐怖症はモンスターに応用しやすいものだが、では飛行機恐怖症はどうだろう。リチャード・マセソンが一九六一年に書いた人気の高い短編「二万フィートの悪夢」は、高所恐怖症を患う気の毒な男が、自分が乗っている飛行機の翼を破壊するグレムリンを目撃するという話だった。この物語は、若きウィリアム・シャトナー主演で「ミステリー・ゾーン」の最も有名なエピソードの一つ［「2万フィートの戦慄」（一九六三）］となった。というわけで、読者が持つ飛ぶことに対する恐怖心をモンスターが弄ぶのは十分可能なのだ。中世が舞台の物語だったら飛行機恐怖症を使うのはちょっと難しいが、悪魔だって飛べるかもしれない。悪魔は哀れな犠牲者を空から襲い、掴んで飛び上がっては手を放し、飛び上がっては手を放しを繰り返して、恐怖を弄ぶ。飛行機の旅を恐れる読者なら、間違いなく恐怖に身悶えするだろう。

だが、読者の恐怖心を刺激することだけがモンスターを怖くする方法ではないことを知っておいてほしい。より広義には、モンスターがなぜ恐ろしいのかというと……

予測不可能

ロブスターがそのハサミを使ってきみの手を切断できるかというと、実はできないのだが、仮に切断できたとして、きみがそのことを知らなかったとしたら……それはなかなか怖いことになるに違いない。実際は、ロブスターには人を傷つける力がないことを私たちは知っている。つまりロブスターは予測可能。そしてこの予測可能性というのは、ホラーの敵だ。逆に、予測可能な何かに予測できない要素を足してやれば、そこには恐怖の可能性が芽生える。

人というものは、他の人が何をするか大体の見当がつけられるものだ。体が発するシグナル、表情、声の調子で、その人が怒っているかどうかは判別できる。その人がコントロールを失って暴れ出すかどうかの見当もつく。しかしモンスターが人間と同じようなシグナルを出すとは限らない。何しろ人智を越えたクリーチャーなのだ。何をしだすか見当はつけられない。

モンスターを創作する際に一定の規則を作り、創作者であるきみがその規則に従うことの重要性については改めて書くが、覚えておいてほしいのは、モンスターが順守すべき規則をきみは知っているが、きみが書く物語の登場人物は知らない、ということだ。実際、モンスターの能力や習性について登場人物が知らなければ知らないほど、よい。予測不可能性こそが、読者を緊迫感で縛り上げ、想像力を解き放つ助けになるのだ。

秘められた底知れぬ暴力的可能性

モンスターならば、ただ襲うのではない。残酷な方法で襲うのだ。たとえば、このスティーヴン・キングの「苦悶の小さき緑色の神」から引用した一文のように。

メリッサは、それがどこから這い出してきたか見ていたので、恐怖に気が動転している割には機転を利かせて両手で口を塞いだ。それは風を切るように素早くうねりながらメリッサの首を伝って頬を飛び越え、左目の上に跨った。悲鳴のような空気の音に合わせてメリッサも絶叫した。それは、病院で使う痛みの評価スケールでは表現しようもないような強烈な痛みに溺れて、窒息死寸前の女性の叫びだった。評価スケールの痛みの程度が一から一〇だとすれば、メリッサの痛みは優に一〇〇を超えていた。生きたまま茹でられる者だけが感じる苦悶だった。メリッサはよろよろと後ずさりし、目の上にいるそれを引っ掻こうとした。それはさらに脈動を早めながら、食餌を再開した。キャットは汁気のある低音を聞いた。くちゃっくちゃっという音だった。★01

怖がらせたければ、目を狙え！

どれほど「血まみれ」にするかは、きみ次第だ。『ブレア・ウィッチ・プロジェクト』(一九九九)のような映画は血を一滴も流さずに観客の背筋を凍りつかせるが、『ホステル』(二〇〇五)のような最近流行りの「拷問ポルノ」と揶揄される映画はどうだろう。確かに気分が悪くなるし不安で頭がおかしくなりそうだが、それは怖いといえるのだろうか。

個人的には、私は「血まみれ」という表現は、理由なき暴力だと考えている。出来の悪い暴力。血が噴き出し内臓が飛び出す場面は満載だが、巧く書かれた暴力場面に備わっている感情的、そして心理的(=キャラクターの掘り下げ)な繋がりが感じられない。たとえば、村上春樹が書いた傑作『ねじまき鳥クロニクル』には、日本兵が生きたまま皮を剝がれる場面がある。キャラクターを深め、ストーリーと心理を描写する超絶的な技巧をもって、村上はこの恐ろしい行為を描写している。読むと一生トラウマになるかもしれないので、ご用心。

先ほどのスティーヴン・キングの引用に、もう一度目を通してみてほしい。血は一切なし。「くちゃっくちゃっという音」というような気持ち悪い言葉は使われているが、主に書かれているのは、身を捩りたくなるような暴力を止めようと懸命になるメリッサの無駄な努力なのだ。

暴力的で不穏な場面を書き進めるのは、一筋縄ではいかないこともある。ホラーであればなおのことだが、ファンタジーもSFも、いやどのようなジャンルの物語でも、作者であるきみの心理を正確に掘り下げてくれる。自分を怖がらせるものを探そう。怖いのは、きみを目から食べ始める小さな怪物なのか。そしてそれは、心の中にある恐ろしいツボを直撃できるほど恐ろしいものなのか。

モンスターという異物

モンスターは「異界」から来る。それは、私たちの知見がおよび届かない「どこか」なのだ。この異界は、物理的な場所かもしれないし、もっと霊的、または超自然的な場所でもありえる。またロブスターに話を戻すが、私たちはロブスターがどこで獲れるか知っている。その生態も知っている。どんな味かも知っている。だから怖くない。しかし、それがこの世ではない土地、文字どおり異星や異次元から来た生物だったら、私たちの常識で理解できる性質が確認されるまでは、恐ろしい。

イアン・R・マクラウドの短編「The Cold Step Beyond（冷たい領域へ）」では、様々な異生物を殺してまわる主人公（実はこっちが怪物かもしれない）が描かれる。彼が描くモンスターの「異質性」は、次のたった一文に表されている。

異生物というものは、その真の恐ろしさと怪物性というものは、遥か銀河の果てまで行かないと見つけられないものではない。思わぬところにあるのだ。★02

何と居心地の悪い認識だろうか。「遥か銀河の果て」ならば、少なくともそこには見知らぬ星があり不思議な生物がいると想像できる。しかし、定量化どころか想像もできないような名も知れぬ次元から来た生物の場合、私たちの理解を越えた理不尽な恐怖を巻き起こす。

H・P・ラヴクラフトは「蕃神《ばんしん》」で、眠りの中に現れるもう一つの現実であり、究極の異界であるドリームランドに読者を誘ってくれる。そこには、夢の外ではお目にかかりたくないような何かが住んでいるのだ。

しかして今や凍てつく荒野の只中にある前人未到の未知なるカダスにやってきた大地の神々の態度は険しかった。もはや人間たちから逃れて登る今より高い頂は残されていない。態度を硬化させた神々は、かつて人間たちに追いやられた場所に今は人間が近づくことを禁じた。入ることも出ることも禁じた。凍てつく荒野のカダスを知らないのは人間たちにとって幸いだった。もし知ってしまったら愚かにもこの高い頂を登ろうとするであろうから。

そして異界といえば、無限の宇宙に拡がる遠い世界。これこそ異界の典型と言える。リチャード・ベイカーは異星生物について「モンスターと似て、非人間的で生きており（あるいは何らかの理由で命あるように動いており）、きみを破滅させたがっている」ものと言っている。「加えて、地球では当然とされる物の性質や経験則から完全に外れたところに存在するということも重要。読者は異星生物の行動様式を司る規則を理解するために参照できる尺度をまったく持っていない。だから、自分でそれを見つけ出さなければならないのだ」。

異星生物といえば、ベテランSF作家のアラン・ディーン・フォスターは自作で、「ホモサピエンスは広い銀河系で唯一の知的な種族なのかもしれない」という、侵略とは正反対の視点から人類の悪夢を引き出そうとしている。

恐怖症に話を戻すと、この「どこか彼方から」モンスターがやって来るという考え方は、私たちが多かれ少なかれ持っている外国人恐怖症に直接働きかける。知らない人の集団に対して、あることないこと考えてしまう。そう、想像してしまう……

想像力が怖さを増幅する

「知識よりも重要なのは想像力だ」とアルベルト(アルバート)・アインシュタインが言ったように、私たち人間の想像力は実にパワフルだ。絶対に怖いに決まっていると想像しながら、たとえばローラーコースターや、就職面接やホラー映画に臨む。そして終わったとたん「それほどでもなかった」と思った経験は、誰にでもあるだろう。

もう一つ良い言葉を引用させてもらうと「恐怖という気持ちそのもの以上に恐ろしいものはない」。フランクリン・ルーズベルトはゴジラやドラキュラの話をしているわけではないが、同じ理屈が当てはまる。これは「異質」なものが持つ予測不可能性に繋がる。正体も動機も理解できない何かを目の前にしたとき、私たちは勝手に想像を結びつけて、必要以上に恐ろしいものを脳内に作り上げてしまう。想像力こそが、つまり恐れる気持ちこそがモンスターなのだ。

想像力は色々なシナリオに応用できる。正体がわからないものは怖いと書いたが、怖いものとして登場したが実は優しかったというような応用もできる。古典的なお伽話『美女と野獣』の野獣がそのいい見本だ。フランケンシュタインの怪物も、恐ろしい外見の下に重層的な人格を秘めている。豊かな感情、理解を求める心、そして……復讐心も。

一見かわいらしく友好的なので無害だと思われた生物が、やがて怪物的な本性を現すという方向性にも応用できる。「スタートレック　宇宙大作戦」(一九六六－六七)の宇宙生物トリブルがいい見本だ。トリブルに遭遇したエンタープライズ号の乗組員たちは、外見からトリブルをかわいい無害な生物だと思いこんでしまうが、その本性については何も知らない。やがて物語の展開とともに、トリブルは疫病というか、イナゴの群れのような本性を現していく。思いこみと想像力は、危険を招き得る。

登場人物の思いこみを操ってやるというのは、読者の思いこみを操ってやるということでもある。意思を持つ生命体に遭遇したとき私たちは、その生命体が分別をわきまえていると考えてしまいがちだ。普通はいきなり殺し合いにならないように考えるはず。そんなきみの期待を裏切る、道徳心が欠如したモンスター。これは怖い。

道徳観念の欠如

定義的に一群の規則によってできているのが、人間の社会というものだ。より正確に言えば、社会の正体は、道徳的そして倫理的な基準によって決められた法というシステムなのだ。道徳的な基準が破られれば結果が伴う。だから私たちは公共の場所でやっていいことと悪いことの分別を知っているし、自分の中に留めておくべきこともわきまえている。何をすると周囲の人が眉を顰めたり気分を害するかも理解している。しかし、人間社会の外から、どこかの異世界からやって来た、人間の良心のようなものをまったく持っていない何かの場合はどうだろう。モンスターは、きみの気分を害しても気にもしない。何をすると相手が傷つくかということ自体考えもしない。襲う相手がどうなるかなど一瞬たりとも考慮しない。人権にも感情にも考えがおよぶことすらない。それどころか、モンスターは非道徳的な行為を追求するのかもしれない。恐ろしく残酷な方法で蹂躙すること自体を楽しむのかもしれない。

戸惑いも後悔の念もなく「悪いこと」を実行する者に対面したときに、私たちは非常に落ち着かない気持ちになる。イアン・M・バンクスは自作『Excession（エクセッション）[★03]』で、人工知能を備えた宇宙船という姿をした、非道徳的なモンスターを描いている。

> このグレーの領域に浮かぶ一隻の船は、他の船が嫌がってやりたがらない仕事をこなしていた。電磁力エフェクターを駆使して他人の心を覗きこむのだ。このエフェクターというのは、第三段階文明で普通に使われていた電子防御機器の遠い子孫のような非常に洗練さ

れた強力な機械だった。〈カルチャー〉内を航行している宇宙船が標準的に装備している、強力な支配力を持つ兵器なのだ。このエフェクターを使って生物の細胞の中に潜りこんで行き、意識の中に侵入して見つけ出したものを自分の都合のいいように――大抵の場合復讐のために――利用した。

相手がどうなろうと、まったく気にかけないのだ。人を人と思ってもいない相手と、話が通じるはずがない。なぜなら……

モンスターは私たちの手に負えない

人間というものは、物事が手に負えた方がいいと考えるものだ。自分の体重、人間関係、お金の使い方、スケジュールにいたるまで何でもコントロールしたい。わざわざ講習を受けて犬を躾けたり、従業員にやる気を出させたり、他者さえコントロールしようとする。ではきみの宇宙船に、私たちの規則に一切従う気のないモンスターが入ってきたら、どうしよう。食べたいときに食べたいものを食べる。もしかしたら人を。隔壁の向こうは真空の宇宙であることなどおかまいなしに、血液の代わりに金属をも溶かす酸を流す。このモンスター相手に交渉は通用しない。デネビアン・スライム・デビル相手にどんなに冷静に「ちょっと待て。今ステーキ肉を買ってきてやるから私を食べないでくれ」と言っても無駄なのだ。モンスターはやりたいことをやりたいようにやるのであって、きみの意見を聞いてくれないどころか、興味すらない。

簡単な言い方をすれば、モンスターは私たちの規則に従ってくれない。だから怖いのだ。

見るからに怖い

お手本としてもう一つラヴクラフトの短編小説「ピックマンのモデル」を見てみよう。

神の御名を穢すような、何とも名状しがたき巨獣の眼光は爛々と赤く光っていた。ごつごつと節くれだった鍵爪には先ほどまで人間であったものが握られており、子どもが棒の先についた飴を食べるかのように、その頭部をがりがりと齧っていた。屈みこんだような体勢をしたこの獣を見ていると、手にした獲物を落として今にも血も滴るようなより上等な食事を求めだしそうなその姿に、誰もが恐怖を覚えただろう。しかし末恐ろしいことにだ！　その絵を強烈で泉のごとく尽きることない恐怖の源にしているのは、その絵に描かれた忌み嫌うべき主題ですらないのだ。耳の尖った犬のような顔でもない。血走った眼でもない。平たい鼻でも涎を垂らす唇でもない。鱗に覆われた鍵爪でも、厚くカビに覆われ

> た体躯でも、蹄の生えた足ですらなかった。どれも違う。どれも及びもしないが、いずれも興奮しやすい者を狂気に追いやるには充分だった。

身の毛もよだつような描写だが、それも興味深いラヴクラフト流だ。見るも恐ろしい怪物の描写に文字数を割きつつも、その行為（「先ほどまで人間であったもの」を齧る）、そして怪物がやりそうな行為（「血も滴るようなより上等の食事を求め」）によって、脅威を煽る。覚えておきたいのは、モンスターの恐ろしさは必ずしも古典的な意味における「怖そう」な外見からくるとは限らないということだ。

ランサム・リグズは自著「ミス・ペレグリンと奇妙なこどもたち」★04（『ハヤブサが守る家』）で、決して伝統的ではないが負けずに不気味な怪物を描き出している。

> その怪物どもは、七歳児が喜んで受け入れるような、触手が生え朽ちたような肌をした怪物ではなかった。その怪物どもは人間の顔をしていた。しわ一つない制服に身を包み、密集行進法で足並み揃えて歩く。あまりに平凡な見かけなので、手遅れになるまで誰もその正体に気がつかない。

このモンスターは、政治や軍隊または社会的に同化させられた人たちが非人間的な何かになってしまう可能性を描写しており、腹にこたえる。「神の御名を穢すような名状しがたき」赤い目の巨獣のような外見的な恐ろしさはないが、内側は等しく怪物的なのだ。本書でも順を追って象徴性や描写という観点からモンスターを怖くするものの理解を深めていくが、取りあえず今はモンスターが恐ろしい主な理由について考えてみよう。

私たちが獲物にされてしまう

モンスターにかかれば、私たちは狩人ではなく狩られる獲物にされてしまう。襲うもの／襲われるものという関係を逆転させてしまうのがモンスターの魅力なのだ。そしてこの特性こそが何よりもモンスターを恐ろしくする要素でもある。

現代という文明の世の中にあって、私たちの多くは自分をいわゆる「捕食者」だと考えてはいないわけだが、捕食者としての本性は心の中に奥深く沈められて存在している。人間は狩猟採集を行なう、群れで狩る雑食性動物なのだ。尖った木の槍を手に一人で毛むくじゃらのマンモスに立ち向かっても食事にありつけないが、数十人単位なら皆の空腹が満たせる。

複雑で創造的思考ができる問題解決に適した脳と器用な手先のお陰で、初期の人類は遠距離から獲物を仕留める方法を考案できた。つまり安全に狩りができるようになった。石のナイフを手に猪を仕留めようとすれば、猪に反撃の機会を与えてしまうが、何メートルか離れた場所から、もしかしたら木の上や高い場所から弓矢で猪を狙えれば、逃す確率も上がる一方で、夕飯のおかずに逆襲されて内臓を破られる心配は劇的に小さくなる。

その後何百年という時を経て、私たちの狩りの技術は向上した。やがて農耕が起こり、食肉に適した動物の家畜化が始まり、競合関係にある肉食動物を一定の場所から葬り去り、最終的に狩るもの／狩られるものという関係から離脱した。他の肉食動物に襲われて食われる心配も同時に葬り去られたのだ。

安心しているところに、モンスターが現れた……。

『エイリアン』(一九七九)の宇宙生物や『ジョーズ』(一九七五)のサメは、なぜあんなに恐ろしいか考えてみる。まず、どちらも「完全無欠の殺戮マシン」、つまり究極の頂点捕食者として描かれている。それが宇宙船の中を自由に動き回っている。あるいは海水浴客の間を泳ぎ回っている。やつらに狩られる私たちは裸同然。長い時間の中で頂点捕食者としての本能がすっかり鈍った私たちが、殺戮と捕食、場合によっては生殖という原始的な「動物の本能」に勝てるはずがないのだ。

人間が狩人としての本能を失ったわけではないのだが、普段の生活の中にそのような敵が存在しない。モンスターは私たちに狩人の本能を思い出すように強いる。成功するかどうかは別にして。

『エイリアン』の登場人物は私たちとかけ離れた存在ではなく、いわば宇宙のトラック運転手だ。正体不明の怪物が突然そんな彼らを狩り始める。誰もどうしていいかわからない。こいつはどうしてどこから現れた？　その答えは見つからない。これが何かなんてわからないし、こんなものがいるなんて聞いてない。わかっているのは、そいつが乗組員を一人ずつ捕食しているらしいということだけ。私たちはそいつの獲物なのだ！

やがて乗組員たちは、狩人らしい方法で怪物に対処する。居場所を突き止め、まだ小さいうちに罠で捕獲しようとする。しかしエイリアンが持つ強酸性の血液という不便な防衛メカニズムによって事はうまく運ばない。ノストロモ号の乗組員たちはこの怪物を撃てないし、刺すこともできない。つまり一対一で対峙した場合には完全に無力。乗員たちは食物連鎖の一番下に置かれてしまうのだ。

最後には退治されるとはいえ、エイリアンやサメが怖いのは、私たちの心の準備ができていないときに、まったく予期していないときに襲ってくるからだ。つまり、武器を持っていないとき(ゴムボートに乗って水遊びをしているとき)や、武器があっても使い物にならなくなったとき(酸性の血液が宇宙船の隔壁を溶かしたら皆死んでしまう)だ。

モンスターは私たちのテクノロジーを無効化するだけでなく、私たちを一人きりにすることに心血を注ぐ。「群れ」から切り離されてしまうのは恐ろしいことだ。『遊星からの物体X』(一九八二／またはその原作ジョン・W・キャンベル著「影が行く」)の南極探検隊や、『エイリアン』のノストロモ号の乗組員たち。どちらの作品の作者も、モンスターだけでなく、襲われる登場人物たちの間に物理的そして心理的な亀裂を起こす。「物体X」はどんなところにでも忍びこんで隠れられるので、登場人物の間に疑心暗鬼を引き起こす。誰が大丈夫で誰が怪物なのか、誰にもわからない。

最も効果的で恐ろしいモンスターの物語では、私たち人間が自分の立場を有利にするために依存する何かが、取り上げられてしまう。

「モンスターというのは、命という概念をひっくり返してしまうものだ」とダークホース・コミックスのスコット・アリーは言っている。「それがゲイリー・リッジウェイだろうがゴジラだろうが、私たちに備わっている自然の仕組みに対する理解に、真っ向から挑みかかるんだ」［ゲイリー・リッジウェイはわかっているだけでも四十九件の殺人を犯した連続殺人者］。

モンスターが持つ本能的な恐ろしさとスリルは、そこから発生するのだ。それは究極の「もしそんなものがいたら」という恐怖。もし理解不能の何かに狩られたら。もし銃も刃物も利かなかったら。しかも警察も保健所も呼べない人里離れた場所だったら。もし食物連鎖の頂点から蹴落とされ、身ぐるみ剝がされて孤立させられ、しかも完全に無力にされてしまったら。

モンスターによって状況は一転。狩人は獲物に転じる。

恐ろしい。

★01 —— *From the anthology The Best Horror of the Year, Volume Four, edited by Ellen Datlow.*

モンスター創作練習問題

何を、どのように食べる?

そのモンスターは、捕食者と獲物の関係を反転させて私たちを食べるのか。そうなら確かに恐ろしいが、ならば歯の妖精のように、まずは歯を、次に残りを食べるようなモンスターはどうだろう(歯の妖精の話は後ほど改めて)。食べ方によってはホオジロザメに襲われるより恐ろしい体験を生み出せる。酸性の毒を注入して内側から消化する(蜘蛛のように)のか。丸のみにしてじわじわと消化する(巨大な蛇のように)のか。食べられなければならないというわけですらない。映画『サラマンダー』(2002)に登場する竜は灰を食べる。つまり、まずすべてを焼き尽くしてから食べるのだ。恐怖を食べるモンスターもいる。血を吸うものもいる。生命エネルギーを食料にするやつも……きみならどうする?

★02——*From the anthology The Year's Best Science Fiction: Twenty-Ninth Annual Collection*, edited by Gardner Dozois.

★03——Iain M. Banks, *Excession*, Orbit, 1996.

★04——Ransom Riggs, *Miss Peregrine's Home for Peculiar Children*, Quirk Books, 2011.(邦訳＝ランサム・リグズ『ハヤブサが守る家』、山田順子訳、東京創元社、二〇一三年、一四頁)

第三章——変容

モンスターを扱う神話体系の中では、狩るもの／狩られるものという関係性の転倒と同じくらい一般的な概念として、身体的または精神的な変容がある。

前章に書いたとおり、人間は手に負えないものや状況を恐れる。そして、自分自身も手に負えないものに含まれている。自制心の限界と、内に秘めた野生と文明の衝突を、誰もが心の奥で認めざるをえないのだ。そのような状況が現実に起きた場合、それは私が「変容を現す言葉」と呼ぶ表現で形容される。たとえば「獣のようになった」とか「正気を失った」、「群集心理に飲みこまれた」など。

凶悪犯罪が発生するたびに私たちは、一体どんな理由があったのかと頭を悩ませる。一体何がその人にそのような恐ろしいことをさせたのか。何が普通の人間をまるで別人に、いや怪物に変えて、たとえば連続殺人に駆り立てたのか。一体何があって社会全体が、ヒトラー内閣のドイツやポル・ポト政権下のカンボジアのように虐殺を行なう集団に変容してしまうのか。

もしかすると私たちが持つ宗教への衝動は、深いところでこのような恐ろしい事態を理解しようとあがく気持ちと繋がっているのかもしれない。私たちが抱える獣の本能を抑制するには、法律だけで足りるとは思えない。できれば変容が始まってしまう前に止めたいが、うまく止められないので、少なくとも自分たちの本性以外のところ、たとえば悪魔に、悪行の責任を転嫁するのだ。

そう考えると、たとえば少女が悪魔に憑依される『エクソシスト』に代表されるモンスターの人気が高いのも頷ける。映画の方ではなくウィリアム・ピーター・ブラッティが書いた小説は、読者を疑心暗鬼の闇に取り残す。これは本当に現実を超越した悪魔憑依だったのだろうか。それとも単に少女が、言い方は悪いが、正気を失っただけだったのだろうか。理由はどうあれ『エクソシスト』は、怪物への変容というテーマの恐ろしく効果的な見本になっている。得体の知れない悪の力が無垢の象徴たる少女に巣食い、悪魔が彼女に成り代わるのだ。

人間は、心の健康と同じくらい、いやもしかしたらそれ以上に、身体の健康を大事にする。現代の医学と技術の進歩を考慮せずに単純な言い方をすれば、腕や脚を失くしたらそれっきりということを、私たちは知っている。目を一つ失ったら、残る一つを失うわけにはいかない。極端な言い方をすれば、身体的な変容とは私たちが恐れる「異質さ」に近づくということ。それは自身の健康の問題以上に「ノーマル」な社会での立場に打撃を受けるということだ。なぜなら同質であること、あるいは少なくとも自分の価値を認められ、受け入れられていることは、生存の鍵だからだ。

この点を強調するために、ノートラダム大学のエリザベス・マクリントック社会学准教授の研究を参照しよう。身体的な魅力が人間の交配パターンに与える影響に関する研究だ。結果は基本的に誰もが予測していたことだったが、要するに、魅力的な女性は性的なパートナーの数が少なく、そのパートナーは平均以上に裕福であり、一方魅力的な男性は性的パートナーの数が多く、相手が裕福かどうかは考慮されないというものだった。マクリントックの研究が示唆するのは、男性の魅力は成功であり、女性の魅力は社会的な同意によって形成されたある種の身体的条件だということだ。とは言っても、魅力的とされる身体的特徴は時とともに変わり、文化によっても異なるのだが。[★01]

このような、私たちを司るあらかじめプログラム済みの行動が、モンスターへの変容を一層怖いものにする。良し悪しは置いておくとしても、外見に助けられてきたと感じている女性は多いだろうし、外見または成功に助けられて、有り体に言えば、セックス面で充実することができたと感じる男性も多いだろう。ではそのような、魅力的とされる特徴を失ったとしたら何が起きるだろう。見るも恐ろしいモンスターに変容してしまったら。型にはまることができず、人間としての繋がりを失ってしまったら、私たちはどうすればいいのか。

腕や脚を失うなど身体的または感情的な欠落も恐ろしいが、完全に変容してしまうのも気味悪いものだ。芋虫が蛹になり蛹から蝶が羽化する様子を、史上初めて観察したネアンデルタール人がいたと想像してみてほしい。「どうやったんだ？　蛹の中から出てきたら全然別のものになっている！」。そう驚嘆したに違いない。蝶を恐れていなくても、何も知らずに蝶の変態を目の当たりにしたら、何となく気味悪いと思うに違いない。

そうは言っても、私たちも人生の中である程度の変容を経験する。幼児は子どもになり、そして成人に変わっていく。子どもから大人への変容は自然でしかも徐々に起きるので、受け入れやすい。「子どもたちは、変わってしまうことをそれほど恐ろしいと思っていないのかもしれません」と、児童文学作家のニナ・ヘスは言っている。「変わりたがっていると思います。早く大きく力強くなりたいと。だから子どもたちにとっては、変容して力強くなるということは魅力的なはずです」。

ところが、年齢を重ねていくと、もう一度変容の時が訪れる。そして今度の変容はあまり楽しくない。どの文化でも老化の問題は存在する。老人は豊かな経験によって尊敬を集めるのか、それとも無用と見なされて退場を余儀なくされるのか？　答えはあまり快くない方になる。変容の一形態とも言えるアルツハイマーの症状が現れたりすれば、なおさらだ。身体的老化という面に注目すると、「年寄り」への変容に対する恐れが、美容外科と美容整形産業を潤わせ続けている。

ここで、変容に関係する要素を全部まとめてみよう。「異形」の何かに変容する恐れ。老化に対する恐れ。身体的にも精神的にも自分が自分でなくなることへの恐れ。そう考えると、誰もが知っているモンスターたちはどれも変容してしまった人間なのだ。吸血鬼も、狼人間も、ミイラも、ゾンビも、鞘人間も、物体Xも、蝿人間も、誰も彼も。

モンスターに変容してしまう恐怖というのは、前章で触れた捕食者に対する恐怖に近いツボを突く。しかし、捕食者への恐怖は食物連鎖の頂点という座からの追放を意味するが、一方モンスターへの変容は文明社会からの追放を意味する。爪弾きにされるのは、腹の減った捕食者に狩られる恐怖に優るとも劣らない。

もう一つ、怪物的なものに変容する普通の動物も、本章で扱うのに相応しい変容だ。一九五〇年代の古典的モンスター映画『放射能X』に登場する巨大蟻や、スティーヴン・キング著の『クージョ』に出てくる憑依されたような飼い犬がいい見本だ。両者は変容した動物というジャンルの両極端に位置している。かたや昆虫や蜘蛛、蛇、ドブネズミ等、そのままでも気味悪く、巨大化したらなおさら怖い生物。多方ペットや鳥のように普段は喜んで傍に置く動物や、自然にその辺にいる動物（鳥はヒッチコックの『鳥』［一九六三］では文句なしのモンスターだった）。

SFとファンタジー作家ロバート・シルヴァーバーグは、一九八三年に書いた『教皇ヴァレンタイン』の中で、怪物化する動物というコンセプトを巧く使っている。★02

ネイーラは檻の傍らに膝をついた。中には沢山の脚を持つ丸っこい生物が入れられている。そして彼はそいつに向かって低い唸り声を発した。そのマンキュレインは即座に唸り返し、体中を覆うスティレットのような長い針を震わせた。あたかも、メッシュの向こう側にいる敵に向かって針を弾き飛ばそうとするかのような勢いだった。ネイーラが言った。「こいつは針に覆われた自分の体が不満なのさ。針には毒があるから、一掻きで一週間は腕が腫れあがる。私はやられた。もし、もっと深く刺さったら……試したくはないがね、そうだろう？」

ヤームズ・キテインは身震いした。珍しい動物を集めたこの動物園に、このような恐ろしい獣がいると考えただけで、胸が悪くなった。ここは、マジプールに文明が拡がった影響であわや絶滅に追いこまれそうになった、無害で優しい動物たちを保護するためにかなり昔に作られた動物園だった。園内には当然多数の捕食生物も保護されていたが、ヤームズ・キテインはそのことについて弁解の必要を感じたことは一度もなかった。それは〈神〉の意図したことであり、何かを殺して食べようというなら、そのような敵意は持って生まれたものに過ぎないからだ。しかし——こいつら。こいつらは——

この生物たちは邪悪だ、と彼は思った。一頭残らず消し去らなければ。

その考えは彼自身を驚愕させた。そのようなことは今まで一度たりとも考えたことがなかった。邪悪な動物だって？　どうして動物が邪悪でありうるのか。この動物はとても醜いとか、とても危険だとは言えるが、邪悪？　私は何を考えているんだ。動物には邪悪な心など宿りえない。たとえこいつらですら。何かが邪悪なのだとすれば、それはこの動物ではなくて、この動物を創造した者だ。いや、彼らですら邪悪などではなかった。彼らがこの獣をこの世に放ったのには理由があったはずで、ただ悪意を満たすためにそうしたのではないはずだ。もし彼の勘違いでなければ。ならば邪悪なものはどこにあるのか。キテインはその問いに自ら答えた。邪悪というのはどこにでもある。どこにでも拡散して、人々が呼吸する空気の原子の隙間にまで忍びこんでいる。それは宇宙規模の堕落で、我らはすべからくその一部なのだ。動物以外は。

動物以外は。

『教皇ヴァレンタイン』に出てくるモンスターは変容させられた動物で、明らかに凶暴だが、同作には犠牲者としての動物も登場する。私たちには動物を守りたいという気持ちがある。現代においては、捕食動物ですら人間的にデザインされたかわいらしいライオンや虎、そして熊にされて映画やテレビの中に、そして玩具として現れる。ほら、テディベアやクマのプーさんみたいに。私たちがいかにかわいがろうと、側にいたいと大事にしようと、そんな動物たちが牙を剥いたらそれはフィクションでも現実でも恐ろしい。元々野生動物だとわかっていても、怖い。この手の小説や映画に登場するのは、ただの危険な動物ではない。その動物は何か恐ろしいものに、しかも可能な限りの狼藉を振る舞う意図で、変容させられているのだ。

モンスター創作練習問題

どのような感覚を持つ？

変容を遂げた人間は普通の人より力が強いかもしれないが、他に変わった性質があったとしたらそれは何か。たとえば、吸血鬼になったその女性の聴覚は以前より鋭敏になっただろうか。狼男は人間でいるときより嗅覚が鋭くなるのだろうか。モンスターの知覚についてはまた後で詳しく書くが、ここで本当に考えてほしいのは「人間が持つ知覚の中でモンスターに欠けているのは何か」ということだ。

★01——"Cupid's Arrow: Research Illuminates Laws of Attraction"(news.nd.edu/news/37481-cupids-arrow-research-illuminates-laws-of-attraction)

★02——Robert Silverberg, *Valentine Pontifex*, HarperPrism, 1996.(邦訳＝ロバート・シルヴァーバーグ『教皇ヴァレンタイン〈下〉』、森下弓子訳、早川書房、一九八七年、一五七－一五九頁)

第四章 モンスターはどこから来るのか

どんなものでも、必ずどこかからやって来る。ではモンスターはどこから来るのだろう。

とは言え、モンスターが生まれ出た場所を必ず特定しなければならないというわけでもない。この章のモンスター創作練習問題は空白のままでも構わないが、モンスターが故郷と呼ぶ「場所」は、モンスターそのものと同じくらい恐ろしいものでありうるのだ。

どこか特定の場所に住んでいたのではなくて、何らかの条件がそろったときに具現化するモンスターもいる。ファンタジー小説作家のリン・アビーは「何らかの予兆を無視したり読み違えた結果として出現する自然に反する何かがモンスター。そのような昔ながらの考え方に違和感はありません」と言っている。「モンスターはキャラクターというよりは武器（またはマクガフィン）のようなもの。何のいわれも動機づけもなく、ともかく動き出すのです。そしてモンスターは何かの報いでもあります。知らず知らずかもしれず、意図的かもしれませんが、何かをした結果として解き放たれるのです」。

そうだとしたら、ではどこから「解き放たれる」のか。

以下、私が思いつく限りのモンスターを生み出す場所を列挙していくが、思いもよらないような場所がこれ以外にもたくさんあるだろう。勿体ぶった言い方をしたが、要するにモンスターが生まれ出る場所は想像力と同様、無限に存在し得る。その中から私のお気に入りをいくつか紹介しよう。

外宇宙

きみが書いている物語が空想科学物語ではないとしても、無限の宇宙はモンスターを生み出す豊饒な大地として無視できない。凍てつく無限の宇宙の中で、SFとファンタジーとホラーは自由に混ざり合う。宇宙という想像を絶する環境。その真空の中から、あらゆる不気味な生物が、そして言語に絶する邪悪な何かが誕生し得るのだ。

夜空を見上げて宇宙の壮大さに畏敬の念を覚えるかわりに、H・P・ラヴクラフトがにじり寄るような恐怖と孤立感を覚えたのは、彼の書いた短編「闇に囁くもの」を読めば明らかだ。

> 名づけようもない無限の深淵と人類の狭間には、太古の昔以来数段階に渡って恐ろしい繋がりが構築されたに相違なかった。この地球上に現れた神をも畏れぬ怪物は、太陽系の外

縁に位置する暗黒の惑星ユゴスから来たと示唆された。しかし、そのユゴスですら実は星間を行き来する、考えるだけでも戦慄すべき種族が棲んでいる前哨基地の一つにすぎず、元来彼らはアインシュタインの時空連続体の外側、否、我々が知り得る広大な宇宙のさらに外側に横たわる深淵から来たのに相違なかった。

場合にもよるが、地球外生物を扱うときはそれ以外のモンスターに較べて予習が必要になる。他のジャンルと較べるとSF愛好家は「それはどうして？」と考える傾向が強い。どうしてその地球外生物はここにいるの？　どうして地球人の入植者を襲うの？　どうして血液が酸なの？　どうして自分が生まれた星にその個体しかいないの？　SFの場合、モンスターの背景に関わる調べ物を作家が背負う比重が高くなるが、だからといって魔法が支配するファンタジー世界のモンスターより恐くてはいけないというわけでも、度外れてクリエイティブであってはいけないということでもない。「〈エイリアン〉というと「相容れないほど異なる」という意味がありますが、〈宇宙人〉という意味として使われているのならば私たちと通じるものを見つけられるかもしれません。それでも本質的には異質なので、宇宙人とわかり合うのは無理」とリン・アビーは言っている。「宇宙人なら知性があって理屈が通じると期待する。理解するだけでなく、もしかしたら何をするか予測すらできるかも……でも宇宙人の本質が本当に〈相容れないほど異質〉なら、私たちの期待は裏切られるのです

（レシピ本があるといいかも）」。

ファンタジーやホラーに登場するモンスターと、SFのエイリアンに共通するものとして、知能の問題がある。『エイリアン2』（一九八六）の有名な台詞を覚えておいでだろうか。「電源を切ったって、どういうことだよ？　どうしてやつらが電源を切りにいけるんだよ、おい！　相手は動物だろ？」

地獄

または、それに類する地獄のような次元。人類の歴史を通してみると、純粋な悪と無限の苦しみを生み出す地獄以上に、モンスターを吐き出してきた場所は存在しない。悪魔や憑依の物語。終わることのない善と悪の、天国と地獄の戦い。コミックス「ヘルブレイザー」から小説『エクソシスト』、そしてダンテによる文芸的古典『神曲』の「地獄篇」まで、地獄の話が満載だ。「地獄篇」から悪名高い番犬ケルベロスの描写を読んでみよう。

残忍で獰猛な怪物ケルベロス
三つの喉で犬のように
ここに沈められた人々の頭上で吠えたてる

目は赤く、髭は黒く脂ぎり
腹は膨らみ、手に生えた鋭い爪を武器に
霊魂たちの皮を剝ぎ、粉々に引き裂く

雨が降れば犬のような遠吠えを発し
半身が濡れぬように半身で雨を避けながら
卑俗な不信心者どもは絶え間なく体の向きを変える

ケルベロス、この忌々しい地獄の蛆虫！
我らに気づくと口を開き牙を剝き
じっと動かぬ脚は一本とてない

我が導き手は掌を前に伸ばし
両手いっぱいの土を掴み取り
貪欲な三つの食道めがけて投げ入れた

獲物を欲して吠える犬が
獲物を貪るときは静かになり
貪るためだけに戦うように

魂たちが聴力を失うことを願うほどに
轟く雷鳴のごときケルベロス
その三つの醜い鼻面も、静かになっていった

地獄に墜ちた者たちにとってケルベロスは克服すべき障害であり、悪魔にとっては代理人であり守護者なのだ。地獄の住人たちは、どうやら地獄から抜け出したいという業火のように熱い(駄洒落です、失敬)願望を持っており、その結果として地上に災いがもたらされる。生きたまま冥府に侵入を試みる者もいるが、入るときも出るときも、見張りのケルベロスが立ちはだかる。

燃え盛る地獄の業火からモンスターを引っ張り出して使うときには、「地獄」がきみ自身にとって持つ意味を考えてみよう。きみが属する世界、そしてその世界の住人にとって持つ意味を。地獄とは、たんに悪行が罰され悪魔が棲む場所にすぎないのか。あるいはもっと複雑な何かを現す象徴かもしれない。たんに天国の反対なのか、それとも天国以外に存在する善と贖罪の次元と対になって

いるのかもしれない。

さらに、地獄から来たモンスターは地獄に送り返せばそれで終わりなのだろうか。そもそも、そのモンスターはどうやって境界を越えてこの世に来たのか。何より何のために？　地獄の誰かが現世を奪還する企みでも立てているのだろうか。もしかしたら生者の世界に苦痛をもたらすためにモンスターを送りこんでいるのかもしれない。

人間が造ってしまったモンスター

創作の世界では、『フランケンシュタイン』以来、あらゆる科学実験の暴走の可能性が探求されてきた。メアリー・シェリーの時代と較べれば、現在の世の中は理性的で知識も豊富になったかのようにみえる。しかし同時に新しい生命体やテクノロジーの産物としてのモンスターを創造する可能性もより高くなっている。メアリー・シェリーがＡＥＤ（自動体外式除細動器）のことをどう思うか考えてみよう。電気を使って一見死んだように見える人を蘇生させる技術。墓を暴いて掘り出した死体の断片をつなぎ合わせたシェリー考案のモンスターと同じとは言えないが、もしかしたらそれも時間の問題かもしれない。生物発光できる金魚や樹木が、すでに科学の力で作り出されている。食料や医薬品として生物がクローンされている。悪名高い「クモヤギ」を覚えておいでだろうか。そして忘れてはならない、遺伝子工学で作り出された生物兵器の数々。

二〇〇二年に出版された『プレイ──獲物──』[★01]では、マイケル・クライトンが、ハイテク研究施設を脱走する何百万というナノマシン、つまりナノテクノロジーで作られたロボットという形でアップデートされた現代版フランケンシュタインの怪物を描いている。

もう深夜一二時になった。家の中は暗い。もう何が起きるか見当もつかない。子どもたちの体調は最悪で、嘔吐を続けている。息子と娘が別々の洗面所でそれぞれ吐き気に苦しんでいるのが聴こえる。ほんの数分前に様子を見に、何を吐いているか見にいったばかりだ。赤ん坊のことはとても心配だが、この子も病気にしなければならなかった。それ以外に娘が助かる望みはない。

私は大丈夫だと思う。今は大丈夫。でも楽観はできない。同業者はほとんど死んでしまった。そして理解できないことが多すぎる。

設備は破壊したが、遅すぎたかどうかは、わからない。

目前に迫る危機的状況を平和的に解決するために、科学力によって新しい生命体を創るという可能性もある。「パーンの竜騎士」シリーズの中の『竜の戦士』『竜の探索』『白い竜』三巻セット[★02]のプロローグで、アン・マキャフリイは興味深い竜の生い立ちを提案してくれる。

恐ろしいスレッド(糸胞)の侵入を許さないために手を打つ必要があった。しかしこの農耕惑星には高度なテクノロジーは不要と考えたパーン人の移民たちは、輸送宇宙船を解体再利用したときにスレッド対策に必要な技術を失ってしまった。そこで、機転の利く者たちが長期的な計画に着手した。第一段階は、新天地であるこの惑星の土着の生き物の中でも極めて特殊な種を飼育し増やすことだった。移民の中でも特に共感能力の高い男女、そして生まれつきテレパスの能力を持った者が、その不思議な生き物を護り育てるための訓練を受けた。地球の伝説に登場する動物に似ているこの竜という生物は、とても役に立つ特性を二つ備えていた。それは瞬時にして別の場所に移動できる能力、そしてホスフィンの成分が含まれる岩石を噛むと可燃性のガスを吐き出せる能力だった。竜には飛行能力もあるので、空中からスレッドを焼き払い、スレッドの害を受けずに離脱することができた。

この世界の竜は、もう一つのモンスターであるスレッド(糸胞)の脅威を防ぐために作り出され、パーンの人々が構成する社会の重要な一部となった。これはファンタジーと科学の融合の賜物であり、対モンスターのモンスター兵器だ。問題解決手段としての竜なのだ。

ちょっと自問してみよう。きみが創作する物語の登場人物が抱える問題を、解決できるモンスターはいるだろうか。問題解決のためにモンスターを創造するときには、問題解決以外のことも考えておいたほうがいい。パーンの遺伝子エンジニアたちが竜を作り出したときにも、ただスレッドを焼いて飛び回る生物が生まれたわけではなかった。竜には心があり、自分たちの要求があった。きみが創作した物語の主役または悪役がモンスターを作り出した場合、コントロールの限界も考えておかなければならない。そして制御を失ったときにどのような危険が待ち構えているかも。

病疫

ゾンビ。ゴジラ。一部の吸血鬼や狼憑き。巨大蜘蛛をはじめとするありとあらゆる何かの変異体《ミュータント》。どれも病原菌や放射能の影響で生まれたモンスターだ。ウイルス、バクテリア、放射線、遺伝子操作など、身体的異常とその原因がそれなりに正確に理解されるようになってから、まだ日が浅い。病気に対する理解の欠如が、奇妙な推測とでっちあげの説明、そして野蛮な治療法を長い間野放しにしてきた。ハンセン病のように身体的な変形が起こる病気やてんかん等、周囲が不安を覚える病気を患った人は、不当にもモンスター的なものに変容する物語の発想の源になったという恐ろしい過去もある。

現代を生きる私たちも安心してはいられない。抗生物質も効かない新種の病原菌、聞いたこともないウイルスによるパンデミック、そしてバイオテロ。誰が保菌者で誰が違うかわかる頃には手遅れというのが病気の怖さだ。私自身の話をすれば、読んで一番恐怖を感じた文章は、リチャード・プレストンの『ホット・ゾーン　エボラ・ウイルス制圧に命を懸けた人々』の中の、エボラ・ウイルス感染者が死にいたる詳細を記した一文だった。

一六世紀後半に活躍した外科医アンブロワーズ・パレの残した医療症例の文献を読むと、寄生虫や奇形を持って生まれた新生児の記述に誇張としか思えないものがある。著作『怪物と驚異について』★03を書くパレは、科学者というよりはB級映画の脚本家のようだ。

ムッシュー・デュレは長患いの末に、間違いなく陰茎を通してダンゴ虫のような真っ赤な生物を排出したと教えてくれた。イタリアではパーチェレリと呼ばれるものだ。

オテル・ドゥ・ギーズで高熱を発して病に伏したシャルル・ド・マンスフェルド伯爵も、動物と思われる何かを陰茎から排出した。

婦女子の子宮内でも多種多様な生き物が作り出されるが、それには蛙、蟇蛙、蛇、蜥蜴、ハルピュイスも含まれる。

これを読むと、何がモンスターを怖くするのかという前章の問いが思い出される。私たちの体のどの部位を狙うかによって、その怖さは決定される。（キングの目を狙うモンスターとか）。『怪物と驚異

について』からもう一節紹介しよう。

ムッシュー・ジュベール(「よくある失敗について」の著者)が、古着商夫人と貴婦人という二人のイタリア女性について書いている。ほぼ時を同じくして、怪物のような嬰児を出産したのだ。古着商夫人が産んだ子は小さな尻尾の無い鼠に似て、貴婦人が産んだ子は猫のごとく太っていた。いずれも肌は黒く、胎内から出た途端に寝台と壁の間の隙間を登り、寝台の柱にしがみついたという。

二児の父としてどちらの出産にも立ち会った私に言わせれば、この二件の信憑性は疑わしいが、それでも一七歳以下お断りのモンスター映画のネタとしてはかなり有望だと言わざるを得ない。

病疫の結果として生まれたモンスターは、ファンタジーにもSFにもホラーにも居場所がある。最近流行りのゾンビものも、空想科学的だという見方は成立する。「ウォーキング・デッド」で死者を活動させているのは明らかに何らかの病気なのだから、アメリカ疾病予防管理センターは喜んでゾンビを観察するべきなのだ(襲われて死ぬまでは)。ゾンビはファンタジーやホラー系のモンスターに見えるが、その存在は「科学的」に説明されるのである。

実際、現在のゾンビ終末ものの興隆は、現代のアンブロワーズ・パレとも言える科学者たちの注目を集めている。メリーランド大学細胞生物学と分子遺伝学部のジョナサン・D・ディンマン教授は、redOrbit[★04]というインターネット上のコミュニティで以下のような見解を披歴している。「ゾンビ・ウイルスは(ほぼ)実在すると言っていい。狂犬病だ。罹患すればほぼ一〇〇%死ぬ。つまり(少しの間)死んだと同然になるわけだ。しかも感染した者は行動様式を変えられてしまう。感染を拡げるために他の人を噛むように、行動がプログラムし直されてしまうのだ。これで死体を歩き回らせることができれば完璧だけどね」。

病疫の帰結としてのモンスターを考案するなら、少なくとも病気が拡がる仕組みを予習しておくのがいい。中でも恐ろしいのは空気感染する病気だ。不可能ではないかもしれないが拡散を防ぐのが極めて難しく、ウイルスそのものを無効化するのも困難だ。一方、一部の性病や血液感染するバクテリア等は感染のスピードがそれほど速くない(人同士が噛み合い始めたら話は別だが)。しかし、現在入手可能な抗生剤は一切効かないのかもしれない。

きみが考えているウイルスは、マイケル・クライトンの『アンドロメダ病原体』に登場する宇宙由来の病原体のように時間の経過と共に変異するのかもしれない。もしかしたら変異しなくても十分怖いやつだろうか。放射線の影響で生まれたのだとしたら、その放射線はどこから来たのか。犠牲者の遺伝子に悪戯して変異させてしまうのかもしれないし、考えられないような恐ろしい死をもたらすのかもしれない。モンスターの物語に登場する病原体や放射線については、あらゆる原因が考案されてきた。生物兵器の研究施設。核兵器の実験。彗星の尾の通過。墜落した人工衛星や宇宙船。深海の底……異界のありとあらゆる暗い片隅に、その原因を見つけうるのだ。

暗い場所

暗闇は怖い。私たちは夜行性ではない。夜は視力が低下する。人類が暗闇を避けるためにどれだけの努力を費やしてきたことか。人類の歴史は、火、ロウソク、ランプ、ガス灯、電気と、暗闇を拒絶するための発明という線で結ぶこともできる。トーマス・エジソンは、私たちを闇から解放した歴史上最も有名な発明家として記憶されるのだ。

暗いところではよく見えないが、視覚が私たちの主な知覚である以上、夜闇の藪の中を蠢く目に見えない何かに対して不利だと感じてしまう。それはリスかもしれないし、千匹の仔を孕みし森の黒山羊シュブ・ニグラスかもしれないのだ。

ウィリアム・ホープ・ホジスンは、闇を恐れる気持ちを利用して小説『ナイトランド』〔太陽がほぼ光を出さなくなった闇の世界に転生して生き別れた恋人を探す一七世紀の男性の物語〕を書いている。

> 四年という長い間、私は耳を傾け続けた。まだ齢一七の時、角面堡の銃眼の中で目を醒まして以来ずっと。世界の闇と、今私が現在として生きている失われた悠久の日々の彼方か

ら、その微かな声は伝わってきた。聴いた刹那にそれとわかったが、処すべき行動を教わっていたお陰で私は名を告げずに応えた。私は夜闇に向かって合言葉を放ち送った。私に備わった脳の力を使って、脳が土塊で出来ているのでもなければ誰でもそうするように、放った。さらに私は、密やかに私に呼びかける声の主たる女性は何らかの装置を使わずとも我が声を聞く力を持っていることを承知していた。それは女性ではないかもしれぬし、悪の軍団、否、より狡猾な怪物が発した偽りの呼び声かもしれぬし、または時折憂慮されてきたように、沈黙の家から発せられて我らの心を惑わす呼び声かもしれぬのだった。しかして怪物や沈黙の家には合言葉を発する能力がないことは、悠久の時が証明していた。

何がモンスターを闇に引き寄せるのか。夜行性のハンターだからかもしれない。伝統的な吸血鬼は日光に焼かれてしまうので、夜にしか活動できない。つまり残りの人類が陽だとすれば、陰の存在として世界から隔絶されている。昼間は社会の一員として忙しく活動している私たちだが、孤立し眠っている夜間はひ弱な存在だ。夜に生きることを宿命づけられた吸血鬼や、基本的にすべてのモンスターは、時間によって人間社会から永遠に追放された存在であるとも言える。昼でも夜でも他の獣に襲われるのは脅威だが、群れで狩る動物としての本能を残した人間にとって、群れからの孤立ほど恐ろしいものはない。

どこか

私たちが無条件に怖いと思うものはいろいろあるが、この世界のどこかに存在する人知れぬ場所からモンスターがやって来るという考えも、その一つだ。アルフレッド・テニスン男爵が「自然、その赤く染まった歯と爪」と表現した狩猟という生業から私たちは脱け出したのだが、それでも縄張り意識が残っている。狩猟採集の生活から農耕に移行した人間は、縄張りの外から来る害獣や害虫から農地を守り、野生動物から家畜を守ることに注力するようになった。

人間には外から来た誰かを恐れる傾向もある。知らない人以上に恐ろしい動物がいるだろうか。スーパーの駐車場で熊に襲われる心配はしなくていいが、駐車場をうろつく不審者を牽制するために私の自動車のスマートキーには緊急ボタンがついている。就寝前に鍵をかけるのは、バンダースナッチの侵入を防ぐためではなくて、人間の泥棒が入らないようにするためだ。テロリスト、非正規滞在外国人、ソマリの海賊……「どこか」からやって来る人間に対する集団的な恐れの感情は、歴史の中で姿を変えていく。恐れる相手が実在しようとしまいと、私たちは敵に囲まれているような錯覚に陥ることがある。

これはいずれも、昔の地図製作者たちが「竜の領域」と書き記した心性に集約される。境界線を越えた向こう側には恐ろしい竜がいてもおかしくない、というわけだ。

霧に覆われ地図上に存在しない髑髏島からキング・コングは来る。野蛮で原始的な人外魔境。樹木が繁茂し何かが蠢くジャングル。地図の境界を越えてそのような場所に迷いこんでしまったら、予想もできないような生物に出くわすかもしれない。逃げ場もなく、守ってくれる人もいない。

一九一〇年に出版されたアルジャーノン・ブラックウッド著の古典的名作『ウェンディゴ』は、人間が野生に対して抱く恐怖を描いた決定版だ。

「ウェンディゴのせいで」と博士は付け加えた。「とてつもない速さで走らされ、その摩擦で足が燃えるそうだ。そして足が燃え落ちると怪物と同じ足が生えてくる」。

シンプソンは、恐怖と驚嘆をこめて聞いていた。しかし何よりもシンプソンの関心を引いたのは、土気色のハンクの顔色だった。できるなら今すぐ耳を塞ぎ目を閉じてしまいたいという表情だった。

「やつは、いつも地上にいるわけじゃねえんだ」。ハンクは怠そうな低い声で続けた。「足に火がつくのは星に届くからじゃねえかというほど、ウェンディゴはとてつもなく高く飛び跳ねやがる。狙いをつけた人を掴んだままでっかい音をたてて飛び跳ねて、木立の上を走り、鷹がカワカマスを食べる前に落とすみたいに獲物を落とす。実際にやつが何を食うかというと、どんなもんでも食えばいいのに、やつは苔を食うんだ！」そしてハンクは短く不自然な笑い声を発した。「苔食らいさ。それがウェンディゴってやつさ」。そう言ってハンクは興奮した面持ちで仲間たちの顔を見上げた。「苔食らいさ」そう繰り返すと、ハンクは想像し得る限りののしり言葉を数珠繋ぎに発した。

そしてシンプソンは、ハンクが喋り続けることをやめない本当の理由を理解した。それぞれ「経験豊富」な二人の強者たちが何より恐れているのは、沈黙だった。二人とも時間の流れに逆らうかのように喋り続けた。そして暗闇に抗うかのように喋り続けた。襲い来るパニックを押し戻すかのように。敵の領域の最中にいることを思い出すまいとするかのように。すべてを否定するかのように。内なる理性の声に支配されることを拒むかのように。すでに恐怖に眠れぬ一夜を過ごしたシンプソンの感覚は、この二人が現在感じているような恐怖を通り越してすでに麻痺していた。他方、何ごとを見るにも斜に構えた心理学者と実直だが頑固な田舎者の二人は、震えながら座りこんでいた。

こうして、声を低く押し殺し、内心はぴんと張りつめたまま、この少人数の集団は大きく開いた未開の荒野の顎の中に何時間も座ったまま、恐ろしくも魅惑的な伝説について馬鹿のように語り合った。それはどう考えても不公平な戦いだった。未開の荒野の方はすでに先制攻撃を仕掛けて人質をとっていたのだ。連れ去られた仲間の運命を考える重苦しさは彼らにずっしりと圧しかかり、やがて耐えられないものになっていった。

未開の自然の「どこか」からやって来るモンスター。それはファンタジーでも効果を発揮する。きみが作品世界を構築するとき、「未開の地」の存在も考慮しただろうか。SFならば、登場人物が「ここは無人の惑星にちがいない」と信じたいが実は……。ホラーならば「ブレアの魔女についてのドキュメンタリー映像を撮るためにキャンプしようぜ、悪いことなんか起きるはずないだろう?」。

誰も足を踏み入れたことがない土地と、そこに棲む何か――これは怖い。

地下

人間は夜行性でもなければ、穴を掘って地下で生活する生物でもない。喜んで地底に入りたがる人は少数派だろう。足元に拡がる地底という場所は、埋葬、生き埋め、そして死を連想させる。前の章で書いたように、生き埋めの恐怖はワーストテン入りする恐怖症なのだ。アステカ文明のミクトランもしかり、フィンランドのトゥオネラも、そして中国のディーユー(地獄)もそうだが、世界各地の古の文明では、地中こそ死者の霊魂や恐ろし気な怪物たちが棲む場所であると想像された。もちろん偶然ではない。ただし本書では、「地下」と「地獄」は別のものとして扱う。

洞窟があれば、入ることを躊躇う。足を踏み入れれば内部は曲がりくねって迷路のようだ。二度と出られないかもしれない。だから洞窟は普遍的な恐怖の闇鍋となるのだ。中には何が棲んでいるか気になる。しかし中は暗い。喜んで入っていく気にはならない。一部の酔狂を除いては。入れないとなれば、豊饒な想像力の出番となる。ずばり、ラヴクラフトの「闇に囁くもの」だ。

ユゴスからの訪問者は地中にもいたのですよ。地表に我々人間が知らない入口がたくさんある。ここバーモントの山々にもね。その奥底には、青く輝くクン゠ヤン、赤く輝くヨス、光りを発さぬ暗黒のンカイといった、誰も知らない生命が棲む大いなる世界が広がっている。ご存知でしょう。アトランティスの高僧クラーカシュ・トンによって保存されているナコト写本とネクロノミコン、そしてコモーリアム神話群の中で言及されるツァトゥグァという蟇蛙にも似た不定形の怪物神は、ンカイから現れるのです。

地底から現れるモンスターを創作したいなら、実際に地中で生活している生物のことを調べておくといいかもしれない。完全な闇の中で暮らすそいつには、目は不要なのかもしれない。太陽の光が一切届かない海底で生きる深海魚のように、生物発光の仕組みを発達させるかもしれない。実際には地中で生きる生物はそれほど多くはないので、身体の大きな捕食型生物は存在しないが、そこは想像力の使いようだ。

「Forgotten Realms(忘れられた領域)」アンソロジー[「ダンジョンズ&ドラゴンズ」から派生した小説」や

関連するゲームの舞台である地下世界アンダーダークのような世界には、スヴァーフネブリン〔地下に棲む小人〕やドロー〔地下妖精〕といった強力な種族や、家畜のロセが生活しており、数えきれないモンスターたちから身の安全を守る戦いが繰り広げられているが、きみもそのような世界を構築してみたいと思うかもしれない。

水中

『ジョーズ』のサメは海面の下に棲み、ゴジラは海中から出現する。H・P・ラヴクラフトの「クトゥルフの呼び声」のクトゥルフ〔英語圏の一般的な発音はクトゥルー〕も同様だ。クトゥルフはラヴクラフトの神話体系中もっとも重要な存在であり、復活し浮上する日を待ちながら海底深く存在する都市で眠っている邪気に満ちた古の神なのだ……。

この世界に常に密かに蠢き続けている恐るべきものについて考えると、私は二度と安眠できないだろう。太古の星より訪れ、海の底深く眠っている神をも畏れぬ邪悪なものたちのことを考えると。そしてその邪悪なものたちのことを知り、いつか巨大な石の都市が地震によって再び海底から浮上して太陽の光と空気に触れ、怪物たちが世界に解き放たれることを熱望する悪夢のような狂信者集団のことを考えると。

ヨハンセンの航海が始まったのは、彼が海難事故法廷で証言したとおりだった。エンマ号は積荷が無いまま二月二〇日にオークランドを出港した。そして地震によって発生した嵐の只中に巻きこまれた。人々に悪夢をもたらした恐怖を海底から浮上させたのも、恐らくその嵐だった。再び操舵可能になったエンマ号は順調に航行を続けたが、三月二二日にアラート号に進路を阻まれた。エンマ号を襲った砲撃と、その結果としての沈没を記した文章からは、船乗りヨハンセンの痛恨の念が感じられる。アラート号に乗った肌浅黒い狂信者たちの様子をヨハンセンは恐怖をこめて綴っている。狂信者たちは忌み嫌うべき性質を持っており、そんな彼らを全滅させるのはむしろ当然の義務と思えるほどだった。しかるに自分と船乗り仲間たちの行為が残虐であるとした罪状にヨハンセンは純粋な驚きを隠せなかった。

アラート号を捕獲したエンマ号の乗員は、ヨハンセンの指揮下、好奇心に導かれて前進した。航路上に船員たちは海中から突き出した石の柱を発見した。そして南緯四七度九分、西経一二三度四三分の地点で、泥と粘着性の液体が混ざり合い、海藻に覆われたキプロス様の石積み構造が聳え立ち並ぶ岸に行き当たった。それはまさに、地球上最大の恐怖の一つであり、数えるのも不可能なほど太古の昔に暗黒の星より訪れた吐き気を催すような様々な形状の者たちによって建設された死の都ルルイエそのものだった。そこに偉大なクトゥルフと配下たちが横たわっていた。どろどろした緑色のものに覆われた部屋の中からクトゥルフは、数えることもかなわない悠久の時を経て今、神経の細い者には恐怖と悪夢をもたらす思念を、信者にはこの巡礼の地を訪れ自分を解放、復活させろと高圧的に訴える呼び声を、ついに発したのだった。ヨハンセンには知るよしの無いことだったが、やがて彼はその恐怖を嫌と言うほど目の当たりにすることになる。

海中深くより姿を現したクトゥルフの眠る神殿は、醜い建造物の頂上に位置するほんの先端にすぎないのではないかと、私は疑っている。その他に海中に沈んでいるものの広大さを思うと、今すぐ死んでしまいたいと願わずにいられない。

海中の深みは地球上に残された未開の地の最たるものであり、宇宙と同じくらい人間にとって険しいその環境の中には、不思議な生き物が溢れている。ホオジロザメや巨大イカ等、水中には現実世界が生んだ恐ろしい捕食生物が存在することを知っている以上、私たちは水を見たときに、サイレーンやクラーケン、そしてネス湖の怪物等そこにいるかもしれない規格

モンスター創作練習問題

どこから来る?

どこでもいい! 地獄? 海底? 無限の宇宙の深淵? 可能性は文字どおり無限だ。SF映画の古典『禁断の惑星』(1956)では、自分たちの潜在意識が実体化したモンスターに宇宙船乗組員が襲われる。この章の内容をヒントに自由に考えてみてほしい!

外の恐ろしいモンスターのことを考えずにはいられない。

ホラー作家に限らず、SF作家も海をモンスターの繁殖場として活用できる。『アビス』(一九八九)でジェームズ・キャメロンは、地球外生物が異星からではなく深い海溝の底から来ると想像した。現実世界でも天文学者が、木星の衛星エウロパの氷に閉ざされた海に生命の証拠を探している。太陽からも他の天体からも遠く離れた冷たく暗い環境に、一体どんな恐ろしい生物が棲んでいるのだろうか。

その答えがまだ見つかっていない以上、すべてはきみの想像力次第だ。

★01——Michael Crichton, *Prey*, HarperCollins, 2002.(邦訳=マイケル・クライトン『プレイ——獲物——下巻』、酒井昭伸訳、早川書房、二〇〇六年、三二六-三二七頁)
★02——Anne McCaffrey, *The Dragonriders of Pern*, Del Rey, 1988.(邦訳=アン・マキャフリイ『竜の戦士』、船戸牧子訳、早川書房、一九八二年、一二一-一三頁)
★03——Ambroise Pare, *On Monsters and Marvels*, translation by Janis Pallister, The University of Chicago, 1982.(邦訳=アンブロワーズ・パレ『怪物と驚異について』、『原典 ルネサンス自然学 上巻』所収、黒川正剛訳、二〇一七年、名古屋大学出版会/なお、古典のため、訳出された原書の版の違いに起因するように思われるが、日本語訳には引用箇所が含まれる章が訳出されていない)
★04——www.redorbit.com/news/science/1112964783/zombie-virus-could-be-reality-exclusive-100213/#3vDa0T0G6r9XMzgW.99

第五章 ただのモンスターか悪役か

私が教えているライティング・セミナーで使う手なのだが、ベラ・ルゴシ扮するドラキュラ伯爵の写真と、名も無いゾンビの写真を並べて受講者に聞く。「これはモンスター？　それとも悪役？」

ドラキュラは吸血鬼であって、この世に普通に存在する者ではない。モンスターと呼ばれる資格は十分だ。なにしろ人間を食料とみなして狩る危険な捕食者だ。吸血鬼は、自然界に存在する動植物とはまったく異なる超自然的な力を持っている。これまで言及したどの定義に照らしても、ドラキュラはモンスターだ。

でも、ドラキュラは悪役でもあるのではないか。

ドラキュラは、モンスターに変容させられてしまった人間だが、狼男やその他の怪物と化した人間(ゾンビとか)とは違い、人間としての知性を維持したままモンスターになった。普通に人間と接し、その気になれば気づかれることなく人間のふりもできる。ドラキュラは策略を立て、恋にも落ちれば、怒りもする。ドラキュラのキャラクターについては様々な解釈がなされてきたが、彼は大抵の場合、感情的な深さを持った人物として描かれる。ドラキュラは自らの罪の贖いすら求めるのだ。

ドラキュラは、自分自身の考えや策略に従って能動的に物語を前進させる。それはまさに悪役の仕事だ。

一方ゾンビは、そこらへんにいる捕食性動物ほどにも賢くない。ゾンビの群れと較べたら群れを組んだ狼の方がよほど狡猾で独創的で適応性がある。ゾンビは獲物を感知するまではうろうろするだけ。獲物がいたら闇雲に襲いかかる。ゾンビが登場する話では一般的に、ゾンビは梯子や低い塀やドアといったもので簡単に混乱させられる。よほどの間抜けでないかぎり、あるいはよほど運悪く多勢に無勢という状況に追いこまれないかぎり、ゾンビの攻撃は比較的簡単に避けられる。

そのような理由により、ゾンビは悪役としての資格を持たない。一方、吸血鬼は悪役でありモンスターでもある。

モンスターを創作するときに知っていると便利な基準について考えてみよう。「悪役は自らの意思で悪事を働くことを選ぶ。選ばなくても生まれつき悪いことをするのがモンスター」だと、ベストセラー作家リチャード・ベイカーは言っている。「もちろん悪役でモンスターという輩はいくらでもいる。ドラキュラは悲劇を背負ったキャラクターだが、(多くの場合)次第にその怪物性を現していくのだ」。
たとえばマンファ［韓国のコミックを示す呼称］の『PRIEST』とその映画版『プリースト』（二〇一一）のように、悪役的要素の少ない吸血鬼を登場させる作家も大勢いるが、ドラキュラに代表されるように吸血鬼は、知的で独創的で、感情豊か。自らの意思で行動する者として描かれることが多い。

この手の悪役、場合によってはヒーローを創作するときには、キャラクター優先でいくべきだ。意思のあるモンスターを物語の悪役として創作するのなら、まず悪役から組み立てよう。その悪役／モンスターは何を欲しているのか。何に突き動かされて行動するのか。なぜ他のモンスターではなくてこれでなければならないのか。そして、どうして今このモンスターなのか。

物語というものを定義するなら「衝突し合うキャラクターたち」ということになると思う。どのような物語も必ず人についての物語だ。たとえそれが厳密には人でなくてもだ。『ウォーターシップ・ダウンのうさぎたち』に登場するウサギたちは人なのだ。「スター・トレック」シリーズのスポックもウォーフも人なのだ。

ドラキュラだって人なのだ。

悪役／モンスターの行動の動機がわかってきたら、それを土台に怪物的な特徴を、いろいろ自分に問いかけながら作り上げていこう。その悪役の怪物的な特徴は、どのように自分が書いている物語を前進させてくれるのか。その怪物的な力は、どのように主人公の行動を阻むのか。そして主人公が逆手に取れる弱点は何か。

　ゲーム・デザイナーのスティーヴン・シェンドは「ダンジョンズ＆ドラゴンズ」系の小説『Blackstaff(魔法の黒い杖)』の中でリッチ(生ける屍)に「命」を吹きこんでいる。


魔法使いダムラスは、金のルーン文字で飾り付けられたオリーブ色のローブを着ていた。以前は見えていた顔が、今はフードで隠されていた。魔法使いは振り返るとレイガーとシャーンの余分な手を見つけ、笑った。ならず者《ローグ》のレイガーは魔法使いの白骨化した手を見て息を飲んだ。頭の大部分も骸骨だった。額と顔の右側に張りついた鈍い灰色の皮膚以外に、顔の面影はなかった。眼窩の本来眼球があるべきところで赤いエネルギーが煌煌と光っていた。胴を覆っている革製の黒い装具とルーン文字が刻まれた銀の円盤は、オリーブ色のローブにもかかっていた。

　レイガーは、生ける屍になった魔法使いと戦った経験があるので、このリッチがダムラスのふりをしていることはわかっていた。それにしても、一体いつからそうしているのだろう。

「見抜きおったか、レイガーよ。みじめな盗人よ。間が悪い。寺院にいる馬鹿者どもよりも機転の利かぬお前は、使い勝手がよい便利な駒だったのにな」。魔法の力が発した声

に合わせて、腹話術のように顎が上下したが、唇は動いていなかった。

吸血鬼と同様、リッチ(生ける屍)も特殊な力と弱点を持ち「変容させられた人間」というカテゴリーに入る。スティーヴン・シェンドが書いたフロストルーンという名のリッチはモンスターとしての不気味さに加えてドラキュラのような狡猾さも備えている。「死んでいない」という状態以外でリッチとドラキュラに共通しているのは、どちらも名前があるということだ。そして今の姿になるまでの歴史がある。どちらにも心があり、策略がある。

モンスター的なヒーローもあり

この章で示唆したとおり、怪物的だからといって悪役である必要はない。マイク・ミニョーラが自作のコミックのために産み出した、ヘルボーイと超常現象捜査局の超自然的取り巻きたち。怪物的ヒーローの最高の見本だ。真っ赤な巨体に角という、見るからに恐ろしい悪魔の風体。「普通」に見えるようにと、角は折られているのだが。一目見ると怖いヘルボーイだが、口を開けばそのへんの機嫌の悪いニューヨーカーと変わりない。

モンスターだと思ったらヒーローだったという筋立ては、ファンタジーだけでなくSFにも見られる(その場合地球外生物という姿になる)。SF作家でゲーム・デザイナーのマーティン・J・ドアティは「エイリアンは、つまり「異質」なのだ。完全に理解不能かもしれないし、どこかが違う程度のことかもしれないが、ともかく違う。違うからといって悪いとは限らないが、一般的にはこちらを不安にさせるか、疑いの念を持たせる。しかしたとえ相手がグリーンブログウィッツでも、慣れてしまえは宇宙人ではなくて、どこか遠くからやって来たちょっと変わった人に過ぎなくなる」と述べる。

引き続き、ファンタジーに、SFに、そしてホラーに登場させるモンスターの創造の方法論を模索していくが、そのモンスターがどれほどの知性を備えているかというのは、常に重要なポイントになる。そして、ドラキュラやフロストルーンというキャラクターを成立させる要素の組み合わせを使って、ヘルボーイのようなモンスター的ヒーローを作り出すこともできるのだ。

モンスター創作練習問題

行動の動機は?

あまり悩まずに簡単な答えを出したいなら「脳味噌を食いたい!」

頭をあまり使わないゾンビのようなものであれば「人間を食べる」で十分だが、もし少しは賢いモンスターを作り出すなら何らかの行動の動機が必要で、興味深い理由がいろいろと考えうる。もしそのモンスターが「どこか」、たとえば宇宙の果てや別次元から来たのなら、一体何をしに来たのか。冥府から脱出してきたのか。意思に反して召喚されてしまい、帰りたがっているだけなのか。何かを守るためか。より強大な力に操られているのか。この項目はあまり詳細に決めない方がいいかもしれない。「そのモンスターはX星に帰りたがっている」という動機が、物語を最後まで導く牽引力を持つのだ。

偉大なモンスターたち

フランケンシュタインの怪物

フランケンシュタインの怪物は、メアリー・ウルストンクラフト・シェリーが、一八一八年三月に出版された小説『フランケンシュタイン、あるいは現代のプロメテウス』のために創作したモンスターだ。この小説がいわゆる空想科学小説の始祖の一つであるのは議論の余地がない。

怪物と同名のマッド・サイエンティストが縫い合わせた死者の躯を科学的な方法によって蘇生させる。一八世紀末に、電流を流して死んだ蛙の脚を動かすという実験をしたルイージ・ガルバーニに着想を得た方法だ。フランケンシュタイン博士の行った人体実験の詳細は読者の想像に委ねられるが、そこに魔法は登場しない。だからこれはホラーである以上に、空想科学小説なのだ。

作家でゲーム・デザイナーのリチャード・ベイカーは「科学が触れてはいけない領域が何か、そして倫理観が欠如した力を行使した帰結がどういうものか考えさせてくれる」からフランケンシュタインの怪物が好きだと言っている。「フランケンシュタインの怪物は創造された瞬間から人間であることを拒否し、自分を創造した者を破滅させようと行動を起こす彼は、典型的な悪役なのだ」。

ドラキュラほど繊細ではないかもしれないが、フランケンシュタインの怪物も、自分なりの思考様式や望みを持つようになり、それによってモンスターでありながら悪役、しかも悲劇のアンチヒーローになる。

この物語の隠れた主題の一つは、変容という現象だ。危険な科学実験に駆り立てられたヴィクター・フランケンシュタインは、倫理的に混乱をきたし、そもそも実行するべきではなかった実験を行って、人でありながら「モンスター」へと変容する。当の怪物は、いろいろな死体の部位を接合したもので、生前の記憶が脳に微かに残留しているとはいえ、死の衝撃に傷つき、自身の存在を混乱とともに嫌悪する暴力的な巨漢として蘇生している。

比喩としてのモンスター、憐みの対象としてのモンスター、そして無慈悲に暴力を振るう生ける屍の恐怖が一つになったのが、フランケンシュタインの怪物だ。命とは何か、科学や医療が暴走するとどのように危険なことが起き得るか、そして失敗作を作ってしまった創造主の責任とは何かという問いを、フランケンシュタインは投げかけてくる。一八一六年のある嵐の晩に、ジュネーヴでメアリー・シェリーが自由人の夫と友人たちに投げかけた問いは、二〇〇年経った今、さらに重みを増しているのだ。

モンスターの基本型

竜

元は「見る者」を意味するギリシャ語のドラコンという言葉は、竜（ドラゴン）が持つ想像を絶する視力を示唆しているが、遅くとも一三世紀には「ドラゴン」は英語の語彙に含まれている。その後八世紀程の間にドラゴンという言葉は竜、つまり大蛇や爬虫類的特徴を持つ伝説上の動物を指すようになった。

西洋文明の竜は、貪欲、恐怖、脅威を象徴する存在だが、東洋では高度に洗練された思考が可能な賢者だとされている。

巨大な爬虫類というイメージは、古くから世界中に見られる。そのような架空の獣の発想の源が現実にあると考えても外れではないだろう。ウィリアム・バックランドが一八二四年にメガロサウルスを発見する何百年も前から、それが何か理解されないまでも恐竜の骨の化石は見つかっていたはずだ。四世紀、東晋の時代に歴史学者の常璩《じょうきょ》が竜の骨を発見したと報告している。恐竜以外にもたとえば鯨や鰐など巨大な生物の骨や、絶滅してしまった飛べない巨大な鳥類の骨等に着想を得た物語が、口頭で伝承されながら現在私たちが知る竜の姿になっていったのかもしれない。

起源が何であれ、竜はいつも克服されるべき障害として描かれる。シェイクスピアの『リア王』(「竜とその怒りの板挟みにはなるな」)にも言及され、J・R・R・トールキンの『ホビットの冒険』にも現れる。

『A Practical Guide to Dragon(実用ドラゴンの手引き)』の編者ニナ・ヘスは「竜というものは抗しがたい圧倒的な力を持っていますが、同時に高潔なヒーローでもありえます。竜に関係する神話伝承は数えきれないほど存在します。竜を出した瞬間、誰もが畏敬の念を感じるのです」と言っている。

SFと言えばロボットや宇宙船だが、同様にファンタジーと言えば竜だ。そしてロボットと同様、永遠を生きる竜という生物は誰かによって商標登録されているわけでもない。きみが創造する世界に竜が何頭いても構わないが、小説家パトリック・ロスファスの忠告も頭に入れておこう。「皆いつも竜を使いたがる。それが問題です。竜が特別なものではなくなってしまう。竜をぶちこんでおけば、自分が書いている文章が格好良さ二八%増しになると思っている作家がたくさんいますが、そうはいきません。そんなことをすれば、竜はただの時代遅れの流行りものになってしまう」。

想像力、繊細な注意力、そしてもっともらしさの欠如が、どんなものでも飽き飽きするような使い古された遺物にしてしまう。西洋的な恐るべき爬虫類としての竜でも、東洋的な精神を超越した存在としての竜でも構わないので、まず自分が望む竜のタイプを選ぼう。そして自分が創作する物語の世界にしかない独特な能力、身体的特徴、行動様式、文化的特徴といったものを竜に与えるのを忘れないように。

デヴィッド・ホワイトランドがグラフィック・ノベル『Book of Pages(ページの本)』でこう言っている。「人々が竜を恐れる世界を想像してみてよ。もちろん恐れるだろう。恐れずにはいられないような特別な能力を竜は持っている。その大きさすら恐れるに値する。火を吐く口に、巨岩を粉々に粉砕できる爪。竜に関して唯一恐れる必要のないことがあるとすれば、竜は実在しないということだけさ」。

竜は実在しない。だからきみにも、J・R・R・トールキンが創造した竜に負けない竜が創造できるということだ。竜のスマウグは真っ赤で巨大。宝物を寝床にしてまどろんでいる。きみの竜の特徴はきみ次第。ハチドリほどの大きさでも構わないし、どんな色でも構わない。古の賢者が眠る墓所に囲まれて埃をかぶった古文書とともにいるのかもしれない。

竜は人類の共有財産だが、きみが創造する竜はきみだけのものだ。

現実世界のモンスターたち
サメ

人間の想像力が、ホオジロザメに匹敵するような恐ろしいモンスターを作りえるだろうか。たとえばきみは、テレビ特番「Shark Week(「サメ週間」)」(一九八八－)を観たことがないとする。以下、モンスター創作練習問題をそのまま使って導き出したサメの描写を読んで、サメを知らない人ならそれが一体どのような生物だと想像するだろうか。

▼名前は?

ホオジロザメ。

▼何を、どのように食べる?

ホオジロザメは生きているものなら魚でも人でも食べる。飽くことがなく、決して満たされることのない食欲を持つ。

▼どうやって動く?

力強くしなやかに、時速二四キロものスピードで泳ぎ、水の外に体全体が出るまで高く跳躍することもできる。

▼どこから来る?

恐竜の時代にすでに存在したサメという太古の種は、冷たい海の底から人の作った街の近隣にある海岸に、豊富な餌を求めてやって来る。

▼**外見は?**

全体——鼻面は尖っており、凹凸のない滑らかな流線形で巨大な魚雷のような体の端には、三日月型のパワフルな尾びれがついている。

目——普段は死んだような黒い瞳をしているが、攻撃時には白目を剝く。

口——巨大な顎には三角形で鋸のようにぎざぎざがついた歯がずらりと何列も並び、抜ければすぐ次の歯が生える。四〇〇〇psi(ポンド/平方インチ)の圧力で噛むことができる。

四肢——ホオジロザメの長い背びれは、水面を切って犠牲者に迫る。胸びれは翼のように広がっている。

▼**大きさは?**

平均四~五メートルだが、大きい物は六メートル、二〇〇〇キロを超える。

▼**体の表面の特徴と色は?**

遠目には滑らかなホオジロザメの肌は実は砂ヤスリのように粗く、鈍い灰色の体表は沿岸部の岩の多い海底に身を隠すのに最適。白い腹部が名前の由来。

▼**知能は?**

有難いことにそれほど賢くはない。しかし、知能は魚並みでも、獰猛で狩りの腕は高い。

▼**行動の動機は?**

ホオジロザメを行動に駆り立てるものは一つ、食べることのみ。

▼**何を恐れる?**

大抵の捕食性動物がそうであるように、ホオジロザメも無駄な争いは避ける。こちらが多勢なら襲うことを諦めるかもしれず、電気によって感覚が狂わされるので、それで逃げることもある。

▼**ダメージを与えられる?**

傷を負わせることはできるが、ナイフや銛でその硬い皮膚に傷をつけるのは難しい。そして傷を負ってもなかなかダメージを感じない。

▼**どのような感覚を持つ?**

ホオジロザメには人間が持っていない電気受容器が

備わっており、獲物が発する微弱な電気を感じることができる。嗅覚も鋭敏で、四〇〇メートルも離れたところから血の匂いを嗅ぎつける。

▼平均的な人間に優る能力は何?

どんな人間よりも速く泳げる。人体の最も頑丈な骨も噛み砕く顎の力。鋭い歯は容易く人の肌を切り裂く。水中の獲物を人間には想像もできない方法で感知できる。

▼平均的な人間より劣るのは何?

普通の人間でも対サメ用のケージに入ってサメの嫌がる忌避剤や破壊力のある武器を用いれば、追い払うことができる。

未確認生物

ビッグフット

未だ人間の目に触れたこともなければ、捕獲され動物園で飼育されたこともない類人猿が、存在しないとは言い切れない。「Finding Bigfoot(ビッグフットを探せ)」(二〇一一-二〇一八)のようなビッグフット追跡リアリティ番組があるが、発見はされていない。しかし見たという報告は、毎年何十件も世界中で上がってくる。アメリカ合衆国内では北西部の太平洋沿岸地域に目撃証言が集中している(外出するときはいつも目を配っているが、私はまだ目撃していない)。他にはカリフォルニア州北部、東部の田園地帯、さらにはジャージー・デビルで有名なニュージャージー州のパインバレンズでも目撃例はある。

ビッグフットは大抵の場合、毛むくじゃらで、身の丈は二メートル半ほどもあり……(当然)足が大きい生き物だと描写される。敵意に満ちて獰猛だという証言もあれば、怖がりですぐに隠れてしまうという証言もある。北米の先住民の民話にセスケッツ(サスクワッチと誤って定着する)が登場するが、東洋の竜と同じように民話のセスケッツにも神秘的な能力があるとされている。

テレビドラマ「600万ドルの男」(一九七三―一九七八)に登場した涙もろい敵役から、映画『ハリーとヘンダスン一家』(一九八七)の友好的なお客さんまで、ビッグフットはすでにいろいろな形でモンスター・ファンタジーの領域に居場所を見つけている。モンスター映画にはちょくちょく登場するし、リアリティ番組の大好物ネタでもある。

科学者たちがいまだその存在を確認できていない、伝説と神話の狭間に棲む未確認生物たち。未確認生物はいろいろとあるが、その存在を信じる人たちがおり、新種の生物が発見され続ける現実がある以上、ビッグフットのような生物がどこかにいる可能性くらいは受け入れるべきだ。

そうは言っても、まだ「本当」にいると決まったわけではないのだから、エドガー・ライス・バロウズが火星にはバルスームという文明があると自由に想像して、ほどなくそれは空想にすぎないと証明されたのと同じように、きみも自由にビッグフットを想像して問題はない。知的でスピリチュアルな存在でもいいし、野蛮で短気でも構わない。もしかしたら虚を突かれたとき、または自分で姿を現したいと思ったとき以外は超自然的な力で身を隠すことができるのかもしれない。類人猿かもしれないし、ネアンデルタール人かもしれないし、あるいはとうの昔に絶滅したと科学者に思われていたシーラカンスのように、現代を生きる初期の猿人なのかもしれない。

小説家で編集者でもあるブレンダン・デニーンは「人間の目を避けて森の中で生きている生物と考えるとほっこりするよね」とビッグフット愛を語っている。「格好いいなと思う。同時に悲劇的でもあるよね」。

モンスター的な諸々

幽霊船

「彼らは海に船を出し」と聖書にあるが、昔々人類が船で海洋に出て以来、世界中で幽霊船の目撃証言が存在する。乗組員なしで洋上をさまよう遺棄された船を指して幽霊船と呼ぶ場合もあり、それも驚くような頻度で発見されている。一八七二年にポルトガルとアゾレス諸島の間で漂流しているところを発見されたメアリー・セレスト号は、特に有名な一例だろう。乗組員に何があったかは現在でも不明のままだが、この不思議な事件に触発された信じられないような証言は、海賊説から海の怪物説まで多様に存在する。

そして、超自然的な「幽霊」船についても、未確認生物と同様、本当に目撃したという報告がある。さまよえるオランダ人伝説は、一八世紀後半に生まれた船乗りたちの口頭伝承を起源にしている。乗組員のいない船を一人で操作しながら世界中を永遠に航海する運命を課せられた船長の伝説は、船乗り版キャンプファイヤーの怖い話だったのだ。

幽霊船を題材にしたホラー小説も多数存在する。フレデリック・マリアットは、さまよえるオランダ人を主題にした小説『The Phantom Ship（亡霊の船）』を、一八三八年から三九年まで「The New Monthly Magazine（新・月刊誌）」誌に連載した。ワーナー・ブラザースが二〇〇二年に公開したガブリエル・バーンとジュリアナ・マルグリーズ主演の『ゴーストシップ』は、幽霊船伝説に現代的な捻りを加えた恐怖の物語だった。

『Hammer's Slammers（ハマーのスラマー連隊）』の著者デヴィッド・ドレイクは大好きな幽霊船に関してこう言っている。「幽霊船や、何かが乗っている難破船は、いわば一発芸のようなものだとしても効果的だ。ドラキュラに登場する悲劇の船デメテル号がいい見本だが、私が忘れられないのは、一九二〇代に出版された「Not at Night（夜に読んではいけない）」シリーズだ。第一次世界大戦の最中に極東で行方知れずになったドイツの客船が、漂流しているところを発見される。船は血に飢えたダニで溢れていた。ジョルジュ・G・トゥードゥーズ著『Three Skeleton Key（三人の白骨灯台守）』には、腹を空かせたドブネズミを満載した遺棄船が出てくる！」。

幽霊船は「一発芸」である必要はない。「船」といってもいろいろある。宇宙船だって船だし、「幽霊」の意味も一つではない。

幽霊以外の文芸的装置を考えてみよう。『ドラキュラ』に登場する御者不在の不思議な馬車。エイブラハム・リンカーンの命日にコロンビア特別区からイリノイ州スプリングフィールドまで走るといわれる幽霊葬式列車。そしてスティーヴン・キング著『クリスティーン』に登場する憑依された自動車。

幽霊船（またはその他の乗り物）を考案するときは、幽霊屋敷や呪われた城と同じ方向性で考えるといい。何が、この乗り物または場所に呪いをかけたのだろう。船（列車、自動車、宇宙船）自体が邪悪な気に染まったモンスターなのかもしれない。様々な幽霊船や漂流船の物語を自由に参考にしてみてほしい。一九一七年、帆かけのはしけゼブリーナ号に一体何が起きたのだろう。検索してみよう。そして見つけた情報から自由に想像力を膨らませてみよう。

第二部

モンスターがそこにいる理由

◎物語の中で起きるすべてのことには理由がある。それがSFでもファンタジーでも、いやホラーであっても、別にモンスターがいなくても成立する。つまり、きみが書いている小説や脚本にモンスターが現れるなら「何となく」は許されない。このパートでは、モンスターが何のために現れるのか、何を象徴しているのか、そして他の登場人物たちとどう関わることになるのかを考えていこう。

◎ファンタジー作家のリン・アビーは言っている。「何より、自分のモンスターを知り尽くしていること。そしてなぜそのモンスターがあなたの書く物語に現れるのか理解していることが大切です」。

◎そもそも、なぜモンスターなのか。真夜中にゴトッと音を立てる何ものかに、どうして私たちはこうも惹かれるのか。どうして世界中のあらゆる文化、あらゆる伝説、あらゆる芸術の中に、モンスターは浸透したのだろう。

◎小説家のニナ・ヘスは、心理学者ではないがと前置きをした上で、「モンスターは普遍的な恐れの気持ちや欲望の具現だと思います。モンスターが登場する物語というのは、そのような普遍的な感情を表現せずにいられないという気持ちに、強く直結しているのです」。

第六章 どれだけ「モンスターだらけ」にするか

ここはきみが作った世界。私はちょっと遊びに寄っただけ。

特にSF、ファンタジー、そしてホラー作品は、作りこまれた世界の中で物語が展開する傾向が強いが、中でもホラーの世界は一番現実寄りであることが多い。ホラー、特にモンスターが出てくる話は、前の章に書いたように狩るものと狩られるものの関係性の転倒が話の肝になる。古くは「ベーオウルフ」から『キャビン』(二〇一二)にいたるまで、いずれも日常的な環境の中にいる日常的な人たちの、突然現れた超自然的な怪物に対する反応を綴った物語だ。一方ファンタジーの物語では、隅から隅まで想像し尽くされたJ・R・R・トールキンの「指輪物語」の舞台中つ国のように、世界が構築される必要度が高い。SF作品では私たちの日常から遠くかけ離れた未来が舞台になることがよくある。フランク・ハーバートの「デューン」シリーズはSFだが、緻密かつ豊饒に描かれる西暦一一〇〇〇〇年の世界は、ファンタジーの世界だと言っても文句はつかないだろう。しかし、きみが創造する物語が現実世界を舞台にしていたとしても、そしてそれが現在でも過去でも未来でも、そこにモンスターが現れたその刹那、または魔法が使われた途端、あるいは超テクノロジーが使用された瞬間、その世界は皆が知っている世界ではなく、きみだけの世界になる。

「古典的なモンスターの物語では、モンスターというのは孤高で、どんな環境にいても、たとえばそこがニューヨークでもバルスームでも中つ国でも、そこにいるのが不自然なもの」とリン・アビーは言う。「現実世界を舞台にすれば、作者はそれがどのようなモンスターか説明する手間が省けるし、ついでに水道配管の仕組みの説明も省けます。他方、想像上の世界を舞台にする場合は、いろいろなものに縛られずに危険度を調節したり、すごく変わったものを出す自由度が高まります」。アビーは、小説家志願者は自分の勘を信じるのがいいと助言している。「宇宙船に侵入したモンスターの話が頭に見えているなら、その話を書くべき。でも行き詰まってしまったら、ちょっと思考実験をしてみましょう。宇宙船ではない別の環境にモンスターを置いてみたり、モンスターがいない方向性を探ってみたり」。

「書くべき」と言ってもらったのだから、書くしかない。書く前に作者が考えなければならないのは、これから構築する物語の世界にそのモンスターがどうはまるのかということだ。そこはモンスターだらけなのか、違うのか。

作者には三つの選択肢がある。どれを選んでも想像力が必要だが、選択肢によって必要な想像力の量は異なる。

現実世界にモンスターが一体

モンスターが一体だけ登場する場合、ホラーの領域に含まれる話になることが多いが、ホラーでなければいけないというわけではない。「コナン」も「ゲーム・オブ・スローンズ」(二〇一一－二〇一九)も、ファンタジーにしては古典的な意味におけるモンスター濃度は薄目だ。モンスターや不思議な生物よりも人間のドラマが物語の主軸になっている。SFの場合モンスターがまったく出てこないことも稀ではない。ホラーでも、「モンスター」は悪役としての人間であることが少なくない。

馴染みのある時代の勝手の知れた環境に、まったく未知の怪物を一体解き放つのは効果的で、過去に成功例もたくさんある。大勢の怪物に囲まれるのではなく、一体しかいない怪物。しかも見えるところにいない。どこにいるかわからない。登場人物の恐怖と緊張は高まり疑心暗鬼は深まる。たった一体の敵と対決することで、私たちは心の奥に隠された最悪の恐怖と対峙するはめになる。

『ジョーズ』(一九七五)の恐るべきサメや『遊星からの物体X』(一九八二)の不定形異星生物を例に考えてみよう。どちらのモンスターも本質的に、人間に迫って狩るものと狩られるものという均衡を崩す。しかしそこから先はそれぞれ独自の方法で恐怖を煽る。『ジョーズ』のサメが弄ぶのは、大海原の海面の下という未知の世界に何か恐ろしいものがいるのではないかという、人類が昔から捨てられない恐怖。『ジョーズ』が公開された夏は、海水浴客が減ったに違いない。『遊星からの物体X』の名も無い宇宙生物が象徴するのは、人格を失ってしまうという恐怖。自分とはまったく異質の何かに、身体も心も取りこまれてしまう恐怖だ。モンスターが一体しかいない場合、「我々対そのモンスター」という単純な対立構造に物語のフォーカスが当たることになるが、そこから発生する恐怖は重層的なものでありうる。居心地のいい我が町に、突如流れ着いたあいつや、氷が溶けて蘇生したこいつや、上陸したそいつが恐ろしい理由はいくつでもあるはずだ。

モンスターが一体しか登場しないのなら、そのモンスターは無駄がなく効果的になるように、しっかり練られていなければならない。それがどのようなモンスターか、詳細に考えて書き出してみよう。自分がそのモンスターと出くわしたら何が起きるか、具体的に考えてみる。それはどのように生まれ、どのような過去を持ち、どのような能力や弱点を持っているのか。考え尽くした設定が作品に直接出てこなくても構わない。

現実世界にモンスターがたくさん

ファンタジー作品のほとんどは、このカテゴリーに収まると言ってほぼ間違いない。中世を舞台にしたファンタジー小説では、人々は馬を駆り、豚を飼い、狼の群れを追い払ったり普通のことをしているが、そこに竜が飛来し、オークが来襲し、暗黒次元《ダーク・ディメンション》から何かが這い出してくるのだ。

創作する世界をモンスターだらけにするのなら、その前に押さえておきたいポイントがいくつかある。まず考えたいのは、前の章で書いたように、そもそもモンスターは何によってモンスターとみなされるのかという点だ。きみが創造する世界にモンスターがたくさんいるとして、一匹残らずどれも危険で凶暴なのか。あるいは悪役なのだろうか。その世界に犬がいるとする。そしてグローザースと呼ばれる不思議な動物もペットとして飼われているとする。ならばグローザースはいわゆる「モンスター」ではなく、犬のようなペットに過ぎない。その世界にたとえば犬のように誰でも知っている動物と、きみが考えた想像の動物が共存するときには、モンスターの定義をしっかり押さえておこう。「ある文明を構成する意識を持った人たちにも、またはその世界に一般的な動物相にも植物相にも属さない生物。種は問わない」というやつだ。グローザースという動物は、私たちの現実世界には存在しないのだが、きみが創造した世界では、一般的な動植物相に属する犬と同等の存在なので、その世界の住人はグローザースをモンスター扱いはしない。

このタイプの「世界」は、たとえ奇妙な生物で満ち溢れていたとしても、モンスターだらけというわけではない。モンスターが効果的な存在感を持つためには、きみが創り出した世界に普通に存在する奇妙な生物に慣れている人間たちが、その出現に驚愕するようなものにしなければならない。

奇妙だが中立的または友好的なクリーチャーを出さなくても、モンスターがたくさん出てくる世界を創る方法はある。基本的に中世ヨーロッパと変わらない世界を構築したとする。そこに暗黒次元のポータルが口を開き、あらゆる種類のモンスターが出てくるのだ。それは動物的なモンスターでもありうるが、何しろ仲良くしようという意図は皆無。開いたポータルから異形の生物がこれでもか！　と私たちの現実世界に入ってくる。そう、スティーヴン・キングの「霧」のように。

ファンタジーの読者はSFの読者に較べるとモンスターだらけの世界観に厳しくない。一方、そのモンスターやらエイリアンがどのように進化し、どこから来て、その生態系の中に存在する他のモンスターやらエイリアンとどのように共存しているのか、というような最低限の説明を求めるのが、SFの読者だ。

架空の生態系を考案するとき、生態ピラミッドのことを頭に入れておくと便利だろう。エネルギー消費の少ない生物は数が多いのでピラミッドの下に、反対に消費の多い捕食者は上にくる。ピラミッドを見てわかるのは、この生態系の中では、たとえば草を食むガゼルのような動物を多数まかなえる食料は存在するが、そのガゼルを狩るライオンはずっと数が少ない。きみがウサギと竜が共存する現実世界に基いた世界を構築するなら、その生態系中のウサギの居場所は考えるまでもない。しかし、竜がどうやって生きているのかという説明は必要だ。竜は何をどれだけの頻度で食べるのか、等々。

きみが創作するモンスターは、ピラミッドのどこにいるのか。もし「霧」のように、どこか別の宇宙、または別の次元から持ちこまれた異生物なら、生態系の話はご破算だ。ピラミッドは無用。気にしなくてもいい。もしかしたら、ポータルを通って捕食獣だけが入ってくるのかもしれない。生物層が薄く、複雑に進化した生物はすべて捕食生物という世界から来るのかもしれない。生態系と環境を考慮することで、ありえないようなプロットの大穴を防ぐことができる。

現実世界の生物ゼロ

現実世界の生物が一切存在しない、完全にユニークな世界を想像してみてほしい。SF作家にとっては、それがデフォルトであることが多い。二〇〇〇光年離れた惑星には、普通アライグマはいない。きみが創る登場人物がその惑星に着陸する初めての人類なら、彼らが目にするすべての生物はきみの創作物ということになる。

このタイプの世界を構築する場合、特別な用途を伴う動物を新たに創造してやることになる。馬が存在しない世界なら、移動のため、または使役のために他の生物が使われているのかもしれない。飼うべき鶏がおらず、狩るべき鹿もいない世界で、雑食生物は何を食べるのかということだ。

このような世界を構築するのは、なかなかの挑戦だ。誰も馬に乗っていないし犬もいない。鳥も飛んでおらず、鶏も豚も、蝿すらいない。どれもこれも創造しなければならないのだが、馬の代わりに乗る大蛇や、番犬の代わりの多触手生物のことを考える前に、SF作家デヴィッド・ドレイクの言葉に耳を傾けてほしい。「些末と思われることが大事なんだ。鳥がいないからといって、足ヒレが発達した蛙が、樹から樹へと羽ばたいて飛んでいたら、困惑しかないから」。

伝説的なSF／ファンタジー作家エドガー・ライス・バロウズは、『火星のプリンセス』で始まるジョン・カーターの冒険シリーズを書くにあたって、似たような問題に挑み、火星版の犬としてキャロットという種を創造した。ウーラという名の、ジョン・カーターのキャロットは、こんな具合に描写されている。


想像できるだろうか。一頭の巨大なハイイログマ。しかし、その一〇本の脚は強力な爪で武装され、蛙のように耳までぱっくり裂けた口には三列の真っ白な牙が並んでいる。ご想像いただいた獣に、空腹で気が立っているベンガルトラの素早い身のこなしと猛々しさ、さらに二頭立ての牡牛の力強さを与えてみてほしい。実際に活躍中のウーラの凄まじさの片鱗くらいは理解してもらえたと思う。

　私が止めろと言う前に、すでにキャロットはラコールを、その強力な足の一撃でゼリーのように潰し、他のサーン族たちを文字どおりリボンのように引き裂いていた。それでも、私が鋭い語調で制止すると、悪戯の罰を当然のように待つ気弱な羊のように、おどおどするのだった。

バロウズが創作したキャロットは平均的な犬と較べると恐ろしいが、バルスームの一般的な動物相や植物相の一部なのだ。それがどういう獣か知らないジョン・カーターが初めて遭遇したときには、キャロットはモンスターだったが、彼がこの異世界のことを知るにつれ、そしてウーラを理解するうちに「ペット」になるのだ。

モンスターだらけの世界を構築するときに、そこに人間がいてもおかしくないようなバランスを保つ方法について、デヴィッド・ドレイクが助言してくれている。「その生態系の中にいるものは、すべて主人公を殺そうと狙っているなどというのは馬鹿げている。『ターザン』や「協力せよ、さもなくば」「A・E・ヴァン・ヴォクトの短編」はどちらもそういう話で、一二歳か一三歳の私は楽しく読んだけどね。作者が狙う読者層がどれほど知的か、どれほど洗練されているかによると思う」。

生物世界を丸ごと構築していると、知らないうちに込み入りすぎてしまうので、要注意だ。考えてみてほしい。どんなジャンルでもいい、現実世界に存在するすべての生物が登場して描写される小説なんて、あるだろうか。

もちろん、そんなものはない。シラミのように小さいのからシロナガスクジラにいたるまで、地球上には何十億という種の生物がいるのだ。宇宙のどこかの生物が存在する世界に行けば、同様にとてつもない種類の生物がいると考えるべきだ。その世界の生物をすべて分類しようなどと考えないように。現代の科学をもってしても地球上の生物はすべて分類されているわけではない。手元の作品に必要な生物が何かよく考えてみよう。残りは無視するか、あるいは短い文章でその存在を示唆するにとどめよう。見えないが蝿のような羽音を立てて飛び回る虫や、茂みの中でガラガラヘビのような音を立てている何か。そして頭上を飛び去る何かの影。

マーティン・J・ドアティは言う。「人間だらけの世界でも、わくわくするような葛藤があり対立がある。もっとも、その「人間」たちの中には「モンスター」的な価値観で行動する者もいるだろうが。モンスターは便利だ。だからこそ、他のどの要素とも同じように、賢く使わなければ。主人公が自己満足を満たすために登場したり、剣を抜いて戦う言い訳では、ちゃんと仕事をしているとは言い難い」。

モンスターに限らず、どんなに素敵なものでも出し過ぎは禁物だ。もし巻末に用語集を付けた方がいいかもと思い始めたとしたら、やり過ぎかもしれない。私が一番好きな小説の一つ「デューン」シリーズには、ユニークに構築された世界を彩る独自の単語、キャラクター、地名等がまとめられた用語集がある。しかしそれは、読者を甘く見た作者以外の誰かによって後でつけられたものかもしれない。用語集なんかなくても、何がどうなって、誰が誰で、何が何だか私にはわかる。「用語集なしでは、誰もこれにはついてこられないな」と思ったら、即「これ」をリライトした方がいい。

第七章——モンスターという比喩

「私の映画に出てくるゾンビは、純粋に災害なんですよ」と、『ナイト・オブ・ザ・リビングデッド』(一九六八)の伝説的な監督ジョージ・A・ロメロがio9.com[★01]のインタビューに応えて語っている。「あれは自然災害なんです。神様がルールを変えて、理由はともかくああいうことが起きる。私の作る映画は、災害に対して馬鹿みたいな対応しかできない人間を描いているんです。そのためにゾンビを使うのですよ。社会の中で起きているいろいろな現象を茶化すために、ゾンビを使わせてもらうんです。それがすべて。残酷描写のためではなくて、私の映画はもっと政治的なんです。そう、政治的なんですよ」。

これまでも多種多様な物語にモンスターが登場してきたが、そもそもなぜモンスターなのかという疑問に対する答えがあるとすれば、それはモンスターが比喩だからだ。比喩といえば、何かを象徴的または表象的に示唆するもの。この二つは似て非なるものだ。寓意という表現も似た意味を持ち、読者により幅広い解釈の余地を与える。さりげないものかもしれず、直接的かもしれないが、モンスターはアイデアや感情、そして危機といった作者が伝えたい何かを表現しているのだ。

それは特に目新しいアイデアでもなんでもない。ジークムント・フロイトですら、一九一九年の論文「不気味なもの」[★02]でこのコンセプトに言及している。

(…)想像上のものと考えていた何かが現実に目の前に現れる瞬間、あるいは、何かの象徴が、それが象徴するものの機能や意味そのものに成り代わってしまうとき等に、想像と現実の区別が見えなくなってしまう。そのようなときに、〈不気味〉という効果は頻繁に、そして容易に発生するのである。この要素が、呪術や魔術の実践に伴う不気味な効果に少なからず寄与している。(…)大戦の影響で世界から切り離された生活を送っていた私の手元にイギリスの「ストランド・マガジン」誌が一部届けられた。他の記事に較べて私の興味を引いた若い新婚夫婦の話を読んだ。二人が引っ越してきた家具つきアパートの部屋には、興味深い形状のテーブルがあり、鰐の彫り物が施されていた。夜になると、アパート中を満たす耐え難い匂いに二人は気づいた。暗闇で何かが二人の邪魔をし、足を掬った。二人は、はっきりと形が見えない何かが階段を登ってくるのを見た。要するに、奇妙なテーブルのせいで、アパートは幽霊のごとき鰐に憑りつかれている、または木製の鰐が闇の中で命を得て動き出すというようなことが理解される話だった。実に馬鹿げた話だが、筆舌に尽くせぬ不気味さを私にもたらした。

「何かの象徴が、それが象徴するものの機能や意味そのものに成り代わってしまうとき」というフロイトの発言も、彼のアンチにかかれば、何でも何かの比喩である、さらに突っこんで言えば、何でもセックスの比喩であるとするいつものフロイト節に過ぎないと言われるかもしれない。しかし自然と超自然(モンスターも含む)を結ぶ糸を指摘したのは、フロイトが最初でも最後でもない。

J・K・ローリングは、吸魂鬼《ディメンター》たちをまず魔法省に仕える者として、次にはヴォルデモート卿に仕える手先として物語に登場させた。しかし実は吸魂鬼は、鬱、または私たちを憂鬱にさせる物事、考え、事柄を表象しているのではないだろうか。『ハリー・ポッターとアズカバンの囚人』★03からの引用を読んで考えてみてほしい。

吸魂鬼《ディメンター》たちは、今までこの世界に存在したあらゆるものの中でも最も忌み嫌うべき一族。最も暗く穢れた場所に巣食い、腐敗と絶望に歓喜する。自分たちの周囲の空気から平和も希望も幸福も吸い取ってしまう(…)たった一人の吸魂鬼に近よっただけで、あらゆる良い気分も幸せな思い出も、その人の心から吸い出されてしまう。チャンスがあれば吸魂鬼は、きみの心がやつらのように空っぽで邪悪になってしまうまで、きみの心を食い続けようとする。きみの心には人生最悪の記憶だけが残るのだよ。

ここでローリングは、憂鬱が憂鬱を誘うという二重の意味を吸魂鬼に持たせているのだ。鬱を患う人に聞いてみれば、「あらゆる良い気分も幸せな思い出も」その人の「心から吸い出されてしまう」という感覚はわかり過ぎるほどわかると教えてくれるだろう。モンスターはいつも死や捕食に関連しているとは限らない、ということを覚えておこう。最恐のモンスターたちの中には、心の健康に襲いかかるやつもいるのだ。

フランケンシュタインの怪物と『ジュラシック・パーク』の恐竜。どちらも、科学実験の名の下に自然に手を出すことの危うさの比喩だ。人は神の領域を侵犯してはならないという警告。「何でも玩具にできると思い上がるな」と言っているのだ。

二〇一〇年にBig Thinkのインタビューに応えて、ギレルモ・デル・トロが「モンスターは使い方次第で様々な価値を持ち得る」と言っている。「モンスターは超越した力の象徴です。進化の途上、物を考えるようになった段階で人間は、神様とモンスターの物語を創り出すことで世界を理解しようとしたんだと思います。天使を創造し、悪魔を創造し、月を食べる大蛇を創造したのです。自分たちを取り巻く世界の辻褄をあわせるために、神話や伝説を創り出したのです」。

デル・トロは続ける。「そして、天使だとか、至福をもたらすものが創造されたとき、同時にモンスターも生まれたのです。(…)私がモンスターを映画や小説の中に登場させるときは、はっきりした特定の役割をそのモンスターに与え、それを極限まで高めたいので、とても慎重に扱います。なにかの犠牲者にしたり、同情を誘う立場に置いたり、暴力的な寄生生物にしたり。するとそのモンスターは、何かの比喩になるのです。モンスターは生きた比喩だと言って間違いありません」[★04]。

これ以降の数章で詳しく掘り下げるが、物語を構成する要素の中で特定の役割を果たすために設計されたモンスターもいる。悪役の手下とか、打ち勝たなければならない障害とか、そういったものだが、よく出来たモンスターというのは、J・K・ローリングの吸魂鬼のように、一人でいろいろな役割をこなす。たとえばフランケンシュタインの怪物のように、明らかに行き過ぎた科学の危険を象徴するモンスターもいるが、より繊細でさりげないメッセージを寓意的に、潜在意識に働きかけるように伝えるものもいる。

自問してみてほしい。そのモンスターによって、読者のどのような感情を引き出したいのか。そして、そのモンスターは自分が書く物語のテーマを補強するのかどうかも、考えてみよう。

どんな物語も、何かについて書かれている。ジョージ・オーウェルの『1984』のように真正面から政治的な物語もあれば、ファンタジー黄金時代[一九二〇〜四〇年代]のパルプ雑誌に連載された

SFのように政治性が明確にされない物語もある。きみが書きたいのは、愛情の正体とか悲劇を乗り越えるための旅など、もっと私的な物語かもしれない。ならば、モンスターはどのようにそのテーマを表現してくれるのか。たとえばフランケンシュタインの怪物とは逆に、科学の探求を妨げることの危険性を訴えるモンスターというのもありだ。

作り手は、常に「なぜ、どうして」を気にしよう。なぜこのモンスターはここにいるのか。それには、どのような意味があるのか。次の章で、この「なぜ、どうして」をいくつか探っていこう。

★01――io9.com/5851502/why-george-romero-rejected-the-walking-dead-to-make-thezombie-autopsies

★02――Sigmund Freud, *The 'Uncanny'* full text: web.mit.edu/allanmc/www/freud1.pdf(邦訳＝ジグムント・フロイト「不気味なもの」、『フロイト全集 第17巻』所収、藤野寛訳、岩波書店、二〇〇六年、四〇一四一頁)

★03――J.K. Rowling, *Harry Potter and the Prisoner of Azkaban*, Arthur A. Levine Books, 1999(邦訳＝J・K・ローリング『ハリー・ポッターとアズカバンの囚人』、松岡佑子訳、静山社、二〇〇一年、二四二－二四三頁)

★04――"Monsters Are Living, Breathing Metaphors"(bigthink.com/videos/monsters-areliving-breathing-metaphors)

第八章——モンスターという障害物

モンスターは、邪魔をするためだけに存在する場合もある。

ノルウェーの民話「三びきのやぎのがらがらどん」には、橋を護るトロールが登場する。トロールは向こう側に渡ろうとする三匹の山羊を一匹ずつ脅す。最初の二匹の山羊は、それぞれ次にやって来る山羊の方が大きくて食べ甲斐があるので、そっちを食べた方が得だとトロールを騙す。ところが最後に来た三匹目の大きな山羊は、トロールを襲って殺し、三匹の山羊はトロールを食べて丸々太るのだった。

最近はもっと平和的なバージョンが［英語版には］あるそうだが、これが元々の話なのだ。トロールは暴力で山羊を脅すが、ついには自分が暴力の犠牲者になる。三匹の山羊は、ある意味トロール同様モンスターでもあるのだが、どんな物語でも、主人公が自分の行く手を遮る何かに打ち勝ち、乗り越えるだろうという期待を背負っているものだ。

障害物は、お話の基本的な部品の一つだ。たとえば、主人公が家族を連れて動物園に行く計画を立て、皆大喜びで動物園に行き、楽しい時間を過ごしました、おしまい……では、お話にならない。動物園に行ったはいいが、脱走した虎が迫って来る、なら面白い。その家族が、たんに虎から逃げおおせるのではなく、知恵を絞って虎を捕獲し、動物園のお客さんを丸ごと救うというなら、なお面白い。

「スタートレック：エンタープライズ」第四シーズン(二〇〇四)の「狙われた地球大使館」では、ジョナサン・アーチャー船長と科学士官トゥポルが、フォージという荒野を歩いていく。そこはトゥポルの故郷バルカン星にある電磁嵐の吹き荒れる砂漠だ。電磁場によってコミュニケーターやフェーザーといった通信機器も武器も無効になってしまう(主人公から道具や武器を取り上げろと書いたとおり)。二人がセーラットと遭遇したとき、そのことが大問題になる。セーラットは巨大な牙を持つ気性の激しい捕食性猛獣で、高台に逃げたアーチャーとトゥポルを釘づけにする。セーラットは乗り越えられない障害物として立ちはだかる。フェーザーが使えれば麻痺させて逃げることもできたが、電磁場のせいでそれも叶わない。

八方塞りだ。

そこに現れたもう一人のバルカン人が、セーラットを追い払って二人を助けてくれる。この一連の場面によって、電磁場だけでなく、恐ろしい猛獣の餌場でもあるバルカン星の砂漠の危険さが強調される。それだけではない。セーラットは、テクノロジーに依存するアーチャーとトゥポルの弱さも強調し、さらに精神性と政治的盲信というこのエピソードのテーマの表現も手伝っている。加えて、二人をセーラットから助けるアレヴという謎めいたバルカン人は、思ったより有能なのかもしれないとも思わせる。

一頭のモンスターが、これだけ多くのプロットの要と結びついているのだ！

障害物としてのモンスターがとりうる形は、いろいろある。場合によっては、実際に姿を見せる必要すらない。今いるここと、到達すべきあそこの間に存在すると思われる脅威を仄めかすだけで十分ということもある。映画『オズの魔法使』(一九三九)でドロシーが「きっとライオンに虎に熊もいるわ、どうしましょう！」と言ったあれだ。

デヴィッド・ドレイクが「パトリック・オブライアンが書いた『The Far Side of the World(世界の遠い向こう側)』に出てくるオランダの戦列艦は、『エイリアン』の異星生物と同じ特別な役割を果たしている」と指摘しているように、障害物としてのモンスターは生物である必要もない。戦列艦もエイリアンも、登場人物を慌てて逃げまどわせるためにそこに存在する。どちらも命がけで戦って勝たなければならない障害物だ。

物語を構成し、主人公たちが直面する障害物を試行錯誤するときは、慌てさせる、思うように進ませない、迷わせる、共同して対処せざるを得なく仕組む等々、ここには載せきれない数々のプロットの要を考案することになり、そこには何らかの障害物が必要になる。障害物は底なしの谷でもいいし、主人公が自分の気持ちを表せないことに伴う困難でも、バルカン星の猛獣セーラットでも構わないが、必ず物語を前に進める役割を果たし、登場人物に関して読者が知らなかったことや、置かれた環境との関係を明らかにすること。

モンスター創作練習問題

平均的な人間に優る能力は何?

相手がモンスターでも、きみが堂々と歩み寄って顔を一発殴ったら死んでしまうのでは、障害物としてあまり役に立たない。主人公がそのモンスター／障害物を克服することがなぜ重要なのかという心理的な本質に踏みこんだ方が、物語としては効果的(未知の恐怖と対峙したり、頼れるものを奪われ、何とか窮地を脱する能力を試される等)。主人公の行く手を阻むそれが何であっても、究極的に何らかの物理的な障害となるはずだ。では、そのモンスターがパンチ一発で退治されないためには、どうするか。モンスター創作練習問題の、「大きさは?」と「ダメージを与えられる?」という問いからヒントが得られるわけだが、何しろ人間の登場人物と較べて超越した何かを持っていないモンスターでは、障害物としての仕事が果たせない。

第九章——

悪の手先としてのモンスター

私にとって映画史上最も恐ろしいモンスターは、一九三八年に作られた映画『オズの魔法使』に出てきた空飛ぶ猿で、その考えは死ぬまで変わらない。子どものときに観たからということもあるだろうが、ともかくこの猿どもの気味悪いことといったら。何がそんなに気味悪かったのだろう。あの街頭オルガン弾きみたいな衣装か？　あの不気味なほど不自然な翼？　尖った牙か？　不自然極まりない青い毛？　もしかしたら、悪い魔女の言うままに空から舞い降りてドロシーたちをさらう様子が気味悪かったのかもしれない。もしかしたら私の高所恐怖症は、この猿たちから始まっているのかもしれない。

もしきみが創作したモンスターが、読者をこのような自己分析の沼にはめていないとしたら、まだ詰めが甘いということだ。

私の過去のトラウマは置いておくとして、古くからモンスターには、この猿のように悪者の代理人、手下、召使、兵隊といった役割が割り当てられてきた。悪者が人間を差し向けてきたら、主人公はそいつと話し合えるかもしれない。お金で解決できるかもしれない。しかし、青い翼の猿を相手に説得を試しても、うまくいく見込みはない。

悪の手先としてモンスターを導入しようと思ったら、次に挙げる問いに答えながら考えてみるといい。

遂行させるのはどのような仕事か

きみが書く物語の悪役、または主役は、どういう理由で手下としてのモンスターを必要とするのだろうか。つまり、そのモンスターが果たすべき役割は何なのか。『オズの魔法使』では、悪い魔女の手下の空飛ぶ猿がドロシーとペットの犬をさらってくる。猿たちの役目は、魔女が望むものを届けること。いわば「制空権」を行使できるので、ドロシーたちにはなす術がない。

基本的には、モンスターの手下を使うかどうか決める前に、それが何を遂行することになるのか決めるべきだ。モンスターの手下が物語に必要とされず、遂行されるべきミッションもないのに、無理やりモンスターを突っこんで何かやらせても、うまくいかないだけだ。

なぜそのモンスターが適切なのか

きみが選んだモンスターが、遂行されるべき仕事に最適かどうか。これは慎重に検討する必要がある。生き物というのは大抵不完全で、地球上のほとんどの生命はいわゆる「ジェネラリスト」だ。生きていくにはいろいろやるべき仕事がある。食べて、飲んで、子どもを作ったりしながら、成り行きに任せて生き残る。この程度ならどこでも同じ。人の社会、蟻の巣、魚の群れ。一方で、高度に専門的な仕事をこなすスペシャリストを必要とする集団もある。ハチのコロニーを見ると、専門的な仕事があり、その仕事しかせずに一生を終えるハチもいる。女王は生殖しかしない。針を持たず普段は仕事をしない雄。働きバチは全員雌で、その中でさらに門番、食料確保、死骸処理等に作業が細分化されている。きみが考えているモンスターは、もしかしたらジェネラリストで、大勢の中の一人に過ぎないのかもしれない。あるいは、その個体にしかない独自の何かを持っていて、何らかの任務に適任なのかもしれない。

登場人物の造形と同様、たとえ何らかの特技や特殊な能力を持つモンスターでも、欠点は持たせた方がいい。特定の仕事をするために魔法やテクノロジーの力で創り出されたモンスターだとしても、完全無欠というわけではない。もし完璧ならば、空飛ぶ猿の成すがままにされてしまうドロシーのように、主人公が超えるべきハードルはほぼ不可能と言えるほどに上がる。しかし、たとえばそのモンスターの腕があまり良くないのなら、悪役が抱く焦りを読者に感じさせることができる。あまり信用できない手下なら悪い魔女も使いたくないかもしれないが、他に方法がなければ使うしかないのだ。

どのように制御されるのか

じっくり考えてみよう。モンスターを手下にしているご主人様は、どうやってそいつらを従わせているのだろう。そもそもどういう経緯で、そのモンスターを操ることになったのだろうか。操ることになった経緯は物語の中で使われないかもしれないが、物語を進める力にはなり得る。モンスターを操る方法は、きみが創り上げるモンスター、世界、そして物語と同様に、想像力次第、何でもありなのだ。だから、どれが優れていて、どれが劣っていると仄めかして、きみの想像力を限定したくない。

とは言っても、ちょっと考えてみよう。邪悪な魔導士が手下を操るとする。その手下は、命を吹きこまれた巨大な死んだ熊だとする。そして死んだ熊を生き返らせるのは、魔法の護符だとする。その物語の中で、今その護符が「オン」状態だとする。その場合、登場人物たちは護符のことを知っているのか。または話の展開とともに知ることになるのか。護符にかかった魔法を解くか妨害して、魔導士が手下の熊を操れないようにできるのか。もし妨害できた場合、どうなるのか。生ける屍の巨大熊は魔導士に歯向かうのか。それとも護符の魔力が届かなくなったら、熊はその場で再び死ぬのか。もし主人公が護符を奪った場合、熊を操れるようになるのか。それとも熊は主人公に襲いかかるのか。消滅するのか。静止してしまうのか。あるいは護符は魔導士の魔力の発信機のようなもので、それが誰の手に渡っても、結局魔導士が熊を操ることになるのか。

操るための道具が必要かといえば、そんなことはない。手下たちは喜んでご主人様に仕えているのかもしれない。積極的に協力する理由が他にあるのかもしれない。子どもや弟や妹が人質に取られているのかもしれないし、一定期間仕えたら返してもらえる宝物や、大事な何かのために働いているのかもしれない。

そのモンスターが平均的な犬程度には賢いなら、何かの仕事をするように調教できるだろう。そして、そのモンスターを調教する人間にも、何らかの訓練が必要になるはずだ。『白い竜』★01でアン・マキャフリイは、ジャクソムという人間の登場人物の視点にフォーカスを当てることで、初めて竜に乗って操るというのがどういうことか読者に体験させてくれる。

半ば腰を落としたルースの筋肉が弾むのを、ジャクソムは感じた。背中を走る緊張を感じた。大事な大事な初めての降下訓練の準備として、ルースが巨大な翼を大きく振り上げた

とき、その筋肉組織の動きをふくらはぎで感じた。ルースは微かに腰を沈めると、次の瞬間その力強い後ろ脚で大地を蹴った。ジャクソムの頭は折れんばかりに後ろに振れた。安全確保のためにジャクソムが本能的に革帯に飛びつき力の限りしがみつく一方で、小さな白い竜の翼は力強く羽ばたき、二人は上昇していった。城砦の第一層の窓から見ていた住人たちのびっくりした顔を通り過ぎ、あまりの速度で火ノ峰まで上昇してしまったので、残りの窓列はぶれて見えなかった。大きな竜たちが翼を伸ばしてルースを勇気づけていた。火蜥蜴たちがジャクソムたちの周りを旋回し、銀鈴のような声を上げた。ルースを脅かさないでくれよ。ともかく邪魔をしないでくれ。ジャクソムにとって他のことはどうでもよかった。

この竜のような獣を操るのは、使い手にとっても危険を伴う。修行中ならなおさらだ。修行中ならば、善人悪人にかかわらずその登場人物のことが書けるし、手下のモンスターを使うために必要な技術についてもいろいろと書ける。

もう一つ考えてみてほしいのは、その登場人物が、手下、または兵隊、あるいはペットのモンスターに何かをやらせていないときには、どう扱うかということ。『オズの魔法使』の悪い魔女は、空飛ぶ猿たちを「わたしのペットちゃん」と呼ぶ。あるときはかわいがっているかのように扱い、別のときは下っ端の兵士のようにぞんざいに扱う。「ご主人様」とモンスター(または、友達、雇用者、訓練師、飼い主、両親その他諸々とモンスター)の関係は、物語の他のどのキャラクター同士の関係とも同じで、複雑なのがいい。少なくとも、登場人物とその人が大事にしている自慢の何かと同程度の関係がいい。『ジェダイの帰還』(一九八三)でランカーが死んだときに泣く調教師のことを、考えてみてほしい。彼にとってランカーは醜い人喰い猛獣ではなく、ペットで、友達で、仲間だったのだ。

モンスターをコントロールしたがるのは、どんな人か

モンスター軍団を従えた悪役。いや、パワフルなやつを一頭か二頭従えているだけでも、主人公の背筋を凍らせるには十分だろう。さて、ではその悪役は、他に打つ手がなく必死になってモンスターを繰り出したのか、それとも、力を誇示しているだけなのだろうか。

グラフィック・ノベルおよびその映画版『300〈スリーハンドレッド〉』(二〇〇六)では、かなりの誇張を盛りこんで描写されたクセルクセス一世が登場し、自らの力の証として見せつける手下たちは数も多いが、種類も豊富。中でも死刑執行人や鎖で繋がれた不死身の男は、控え目に言ってモンスター以外の何者でもない。そのような化け物を従わせられるというだけで、クセルクセスという人の持つ無視できないパワーがわかるというものだ。

短編「二重の影」を書いたクラーク・アシュトン・スミスも、似たアイデアを持っていたようだ。

初学者であるこの私は(人は不死身ではないゆえに)、アヴィクテスに従う者たちの醜くも恐ろしい顔に初めてまみえるに際して恐れを抱かずにはいられなかった。火鉢から幾重にも立ち昇る煙からとぐろを巻いて現れ出づる、地底に生きる黒いものたちに身震いした。七色に描かれた魔法陣の周囲にそびえ立つその邪悪で巨大な姿。中心にいる私たちに向かって、無言で侵入を仄めかし続ける灰色の恐ろしい不定形なものども。私たちは恐怖に声を漏らした。死体に注がれたワインを飲み、幽霊に供された食物を口にし吐き気を催さずにはいられなかった。しかし慣れというのは恐ろしいもので、異様な感覚は麻痺し、恐怖心は破壊され、私は半ば本能的に、アヴィクテスこそが、あらゆる呪術と悪魔祓いの権威であり、自らが召喚した者どもの脅威をものともしない力を持つ者であると、信じるにいたった。

場合によっては、敵にモンスターの脅威を見せつけるだけで事足りるということもある。モンスターと対決しなければならないという恐怖が、ヒーローの心に重く垂れこめる。そして時が来たら実際に戦わなければならないという、二重の重荷を背負わせることができる。主人公に対してそんな仕打ちができる悪役なら、好敵手として不足はない。

★01 —— Anne McCaffrey, *The White Dragon*, Del Ray, 1978.（邦訳＝アン・マキャフリイ『白い竜』、小尾芙佐訳、早川書房、一九八二年、三四−三五頁）

モンスター創作練習問題

平均的な人間より劣るのは何？

たとえば、どんな音も聞き逃さないが目が見えない。そのように、感覚が揃っていないのが弱点ということもありうる。では、この章のお題に沿って考えてみた場合、そのモンスターは何が足りないから手先として使われるのだろうか。もしかしたら、手先として使われていると気づくには知能不足なのかもしれない。それとも、物理的な痛みによって服従させられているのかもしれない。どんなに力づくで脅されても、オスマン帝国の大宰相やらアドルフ・ヒトラーの命令に従いたいと思う人は、この地球上にいない。これには物語の主人公たちも同意してくれるだろう。そうは言っても、彼らに従った人たちは現実にいた。そして物語の中にもいるのだ。それを念頭に置いて、きみが創作するモンスターを身体的というより、心理的、感情的、そして精神的に普通の人より弱くしている要素が何か、考えてみてほしい。

第一〇章
憐みの源としてのモンスター

ここまでは、いかにモンスターを恐ろしく危険にするかということに、フォーカスを当ててきた。これ以降もそのための思考を巡らせていくが、モンスターは、恐れと嫌悪以外の感情を読者の心に湧き上がらせることもできる。私たち人間が野生動物に対して抱く感情がある。それは、私たち人間が自然の摂理からある程度切り離されており、その結果自分たちは獲物ではなくて狩人だと過信していることに起因するものなのだが、モンスターに対しても似た感情を抱くのかもしれない。敵意剝き出しの野獣と対面すれば、私たちのガードは当然上がる。しかし、もしその獣の弱みが見えたら、または何を欲しがっているかわかったら、最初に抱いた恐れの感情を通り越して、別の次元で通じ合えるかもしれないのだ。

それこそまさに、メアリー・シェリーがフランケンシュタインの怪物の物語で使った手だ。読み進めるにつれて読者は、この怪物が、己を創造した者の哀れな犠牲者なのだということに気づいていく。ここに引用するのは物語の終盤、怪物が自分の本性に向き合い、贖いを求める場面だ。まずは読んでみてほしい。

「さにあらず。そうではないのだ」と、怪物は口を挟んだ。「私がとった行動が、そのように見えてしまったとしても、そのような印象を貴殿《そなた》に与えてしまったとしても、いた仕方ない。しかし私は惨めな自分に共感を求めるものではない。同情など受けることはないだろう。初めて同情を求めたとき、溢れんばかりの徳への愛情と、幸福、そして愛着の気持ちを感じた。私が望んで止まなかった気持ちだ。しかし、徳と感じられたものが影となり、幸福と愛着と感じられたものが嫌悪感を伴う苦い絶望に変わった今、いったい何に同情など求められようか？　この苦しみが続く限り、独りでその苦しみを背負うことに不満はない。私が死ぬとき、私の記憶に残るのが嫌悪と不名誉のみであっても、それは当然至極だ。徳や名声、そして享楽を夢みることで私の心が慰められたこともあった。私の異形な姿を責めず、私が持っている素晴らしい資質に感銘を受けて愛情を持ってくれる人々との、ありえない出会いを望んでしまった。名誉と献身という高潔な考えが、私に望みを与えたのだ。しかし、今、私は自らの犯罪によって最も卑劣な獣以下の存在に成り果てた。この世のどんな罪の意識も、悪意も、憎悪も、惨めさも、私の気持ちと較べるまでもない。自らが犯した恐ろしい罪状を並べてみたとき、かつて気高く卓越した美と善の姿でその心を満たしていた自分と、今の自分が同じ生き物とは信じられない。しかしながら、墜天使は悪意に満ちた悪魔になったが、神と人を敵に回し世界から孤立した悪魔ですら仲間がおり、友がいた。私は孤独なのだ」。

きみが創作しているモンスターは、フランケンシュタインの怪物ほど頭脳明晰ではないかもしれない。贖罪を求めておらず、それほど自覚的でもないかもしれない。しかし、この怪物のように自分の考えをしっかり述べられなくても、感情的な反応を明確にすることは可能だ。フランケンシュタインほど知性的ではなく、もっと直接的に同情を抱かせる例として、次の一文を読んでみてほしい。

それは、ぬらぬらと気味悪いものには違いなかった。大きくて、灰色、少なくとも外見的には化け物だった。しかしそれは年老いて、癒えることのない痛みに苦しんでいた。波打ち際の岩場ですすり泣き、呻くそれを見ながら、彼女はすべてを理解した。震える肉の塊を剣で貫きながら、理解した。村の女たちが怖くてこの化け物を殺せなかったから、代わりに殺すために自分が召されたのではないのだ。この化け物があまりに憐れで殺すに忍びなかったから、自分は呼ばれたのだ。

イアン・R・マクラウドによる短編「The Cold Step Beyond」の一節だ。モンスター自身に憐れな境遇を語らせるのではなく、モンスターとのやり取りによって読者にその境遇を理解させるのでもなく、代わりにマクラウドは視覚的な場面を手短に見せた。また、モンスターを退治する者はときとして、同情からモンスターを安楽死させる存在としても描かれ得ることがわかる。

次に登場するのは、映画史上最も不気味なモンスターといえるかもしれない。観た者が催眠術にかかってしまうような、しかし不穏なデヴィッド・リンチの『イレイザーヘッド』(一九七七)に登場する赤ちゃん。手も脚もないそれは、赤ん坊であるということになっているが、その親ですら怖がらずにはいられない。おくるみに巻かれて転がっている姿は、恐ろしくも憐憫を誘う。ためらい混乱した両親は、観客同様、それが何なのかわからない。病弱で、手足もなく、皮膚もないように見えるこの生き物。母親は叫ぶ。「あの人たちも、本当に赤ちゃんかどうかわからないって言ってたじゃない!」

それでも、お世話が必要な赤ちゃんのようなものである以上、何らかの憐みや哀しさ、そして苦しみを取り除いてやりたいと思う親心が、恐れと困惑と入り混じりながら発生する。これが何なのか、理解できない。怖がるべきか、それとも世話をするべきなのか。この曖昧さが、実に不穏なのだ。この赤ちゃんが襲いかかってくることはなくても、次はもっと気味悪いことが起きるのではないかと、観客を不安で満たす。

どのキャラクターでも同じだが、モンスターを創造するときは、その行動の動機を忘れないようにしよう。そして、物語の中でモンスターたちが自らを突き動かす動機を見せる方法についても、考えておこう。私の犬は、自分の気持ちを言葉で伝えられないが、感じていることや望むものを言葉を使わずにちゃんと伝えてくれる。きみが創作するモンスターは、変わりたいと望んでいるのかもしれない。犯した罪を贖いたいのかもしれない。悪役に弱みを握られて手先として使われているだけかもしれない。自分の子どもを守って戦っているだけかもしれない。「スタートレック　宇宙大作戦」の一編「地底怪獣ホルタ」がそうだった。モンスターを殺すのではなくて、主人公がそ

モンスター創作練習問題

何を恐れる?

モンスターだからといって、いつも偉そうにしていればいいというわけではない。中にはわかりやすい弱みを見せるものもいる。たとえば、フランケンシュタインの怪物は火を恐れる。少し頭を使って、それほどわかりやすくない弱点を考えてみよう。そうすれば、モンスターの造形に深みを与えられる。そのモンスターが光を恐れるとして、それはどうして? 漆黒の地底世界の最深の穴に棲む親分が、手下を罰するために眩しい光を使うからかもしれない。それとも、モンスターたちにとっては忌むべき天国の間の入り口が、眩い光だからかも。どんな生き物も、何らかの感情があり、記憶した何かを連想するはずだ。もしかしたら、その何かを忌み嫌うように躾けられたのかもしれない。少しでも憐みを感じられるようにすると、立体的で生きたモンスターにできる。

のモンスターを理解し、助け舟を出し、家に帰してやることで「倒す」ことになる、というのもありなのだ。

第一一章
モンスター由来の魔法またはテクノロジー
——魔法またはテクノロジーの源としてのモンスター

一つの物語の中で一体のモンスターが果たせる機能は、たくさんある。〈魔法またはテクノロジーの源としてのモンスター〉というのは、猛獣のようなモンスターと同じくらい恐ろしく、憐みなど多彩な感情を喚起できるうえに、悪役の手先にもヒーローの手下にもできる。

古典的SF小説「デューン」シリーズでフランク・ハーバートは、ある偉大なモンスターを創造した。サンドワーム《砂虫》というそのモンスターは、恐らく数あるSF小説の中でも、最も「多機能」なモンスターだろう。人類の無責任な行動の結果絶滅の危機に瀕しているサンドワームは、生物圏の脆さを体現する要素がすべて詰まった比喩的存在でもある。サンドワームは惑星アラキスで反乱を目論む砂漠の先住民族フレーメンの遣いでもあり、フレーメンたちはサンドワームに乗って惑星の覇権を狙う外敵と戦う。そしてスパイスを採掘する者たちに情け容赦なく襲いかかるサンドワームは、これ以上もないほど恐るべき大怪獣でもあるのだ。

サンドワームは、「デューン」シリーズを貫く〈フレーメン＝アメリカ先住民〉という裏テーマの比喩でもある。フレーメンは、明らかに地球上のアラブ民族を参考に描かれているのだが、彼らがサンドワームと接する態度に、伝統的なアメリカ先住民の影が見られる。狩猟の対象にこそしないが、フレーメンはサンドワームを呼び寄せ、その身に乗り、虫の副産物を自分たちの生活のために利用する。アメリカ先住民族パウニーにとってバッファローが欠かせなかったのと同様、フレーメンもサンドワームなしでは生きられない。

この宇宙でとても重要な価値を持つメランジというスパイスは、サンドワームがもたらす最も貴重な資源だが、フランク・ハーバートは誰もが欲しがるこの天然資源を地球における石油に擬えている。サンドワームの鋭い牙は、フレーメンたちの武器クリスナイフとして利用される。高度に儀式化されたフレーメンの文化では、クリスナイフはたんなる武器以上の意味を与えられている。

「レト・アトレイデ公爵は、統治される民たちとの協調的関係の上にアラキスを治める意向と伺った」。フレーメンの長は続けた。「しからば我らのやり方を伝えておかねばならぬ。クリスナイフの刃を見てしまった者には一定の責任が伴うのだ」。そう言って彼は暗い目でアイダホを一瞥した。「クリスナイフの刃を見た者は我らのもの。我らの同意なしにこのアラキスを離れることはまかりならぬ★01」。

テクノロジーという言葉を、〈本来の状態以外の用途で使うために人が手を加えること〉と広く解釈し得るなら、巨大な怪獣の牙をナイフとして使うのは、スマートフォンや宇宙船と同様、テクノロジーだと言える。もしきみが創造したSF世界の登場人物が、モンスターの革や毛皮を被服として、本来の用途と違う目的で利用するなら、それはテクノロジーと呼べる。

「デューン」の世界にいわゆる魔法は登場しないが、サンドワームは少なくともフレーメンたちにとっては、神秘的でスピリチュアルな側面を持っている。サンドワームに乗るとき、フレーメンはワームに接近し、地中に潜らないようにその体節を細かい砂に向けてこじ開けるのだが、それでもワームを神のように崇めている。

モンスターに由来する魔法やテクノロジーについて考えるときは、次のようなことを自問しながら考えてみよう。

その魔法またはテクノロジーは何の表象なのか

地球上の石油と同様、「デューン」の世界ではメランジが富の象徴であり、世界／恒星間通商に欠かせない資源であると同時に、文化的そして政治的争いの源でもある。刊行されたのは一九六四年だが、単一資源に依存する経済が孕む危険性という意味で、「デューン」は現在の世界の状況と大きく関わりがある。

「お金」というものは様々な形を取り得る。そのことを覚えておくと便利だ。そして良くも悪くも、人々が互いに関わり合おうとする主な原動力は、お金なのだ。石油とお金は等号で結ばれる。土地も不動産もお金だ。古代文明であれば、塩、香料、金といった資源が戦争の元となり、征服と探検の原動力となった。お金という冷たく重いもののために、人は何でもするのだ。

誰がその魔法またはテクノロジーを必要としているのか

「デューン」の世界では、メランジというスパイスやその副産物の麻薬はサンドワームによって産出され、スペーシングギルド（宇宙協会）やベネ・ゲリセット［またはベニー・ジェセリット］に利用される。ギルドは恒星間帝国の基礎である超光速航行のためにメランジを必要とする。ベネ・ゲリセットという謎の組織にとっては、その未来を予知する儀式のためにメランジが不可欠だ。

そのような組織は、スパイスによって恒星間世界の中で力を得たのか、それとも元々強力だったからスパイスの利用を始めたのだろうか。鶏が先か卵が先かというような疑問だが、この場合は「それぞれが同時に始まった」と答えるのが簡単だと思う。産業の発達が石油の需要に拍車をかけたが、石油という豊かなエネルギー資源が発見されなかったら、あるいは石油採掘に伴う負の側面が考慮されていたら、その発達は先細りになっただろう。

その魔法またはテクノロジーは、なぜモンスターを必要とするのか

結果と原因をがっちりと解けないように紐づけてやれば、この問いに対する答えは簡単に出せるかもしれない。「デューン」の世界では、サンドワームがスパイスを生成する。著者フランク・ハーバートは最初から、そう言い切っている。少なくともシリーズ第一巻ではそれを動かしがたい自明の理としている。

「CHOAM《宇宙開発公社》の目を逃れる産物など、ほぼ存在しない」と公爵は言った。「丸太に、ロバ、馬、牛、木材、家畜の糞、鮫、そして鯨の毛皮。最もありふれたものから、最も異国情緒あふれる品々まで……。そしてこのカラダンで収穫される取るに足らないプンディ米もだ。エカーズの美術品からリチェーシやイクスの機械類まで、ギルドが運ぶものはすべてだ。しかしどれもメランジには劣る。一握りあればテュパリに家が買える。生産はできないので、アラキスで採掘するしかない。老化を防ぐ独特な効能がある」。

宇宙のどこに行っても、最も重宝される資源は最も手に入れにくいことになっているようだ。新しい油田を求める石油会社は、どんな手段でも選ばないのと同じだ。「デューン」の世界のメランジは、サンドワームが糞として排出する。糞は地表に残され取り放題だが、採掘機が発生する振動がサンドワームを誘い寄せ、最悪の場合壊滅的な被害を被ることになる。

私たちの農耕は、一種類の家畜から多様な用途を引き出すといういい見本だが、家畜化した牛の革を取るのと、野生のサンドワームからクリスナイフ用に牙を抜くのはわけが違う。モンスターは、そもそもその定義によって、家畜とは比べ物にならない程扱いが難しいものだ。スパイスとサンドワームの関係が示すように、モンスター由来の資源は確保のしにくさによって価値を増す。

モンスターからどうやって魔法またはテクノロジーを採取するのか

フランク・ハーバートが考案したサンドワームの幼生であるサンドトラウト《砂鱒》からは、より濃度の高いメランジスパイスが採取できる。サンドトラウトを水に漬けて搾ると、高濃度のスパイスが放出される。ベネ・ゲセリットの人々は、これを何よりも欲しがっている。

アラキスは砂漠の惑星なので、メランジが宇宙全体で貴重品として扱われているのと同じくらい水の希少価値が高い。メランジを生産する代償としての水は、とても高価なものになってしまう。サンドトラウトは、成体のサンドワームが乾燥した環境で生きていけるように、大地から水を吸い取ってしまう。著者はここでも、生物圏内の均衡というアイデアを提案している。生命は生来周囲の環境と関係しており、生存のためなら環境そのものにも手を加えてしまうのだ。

きみの物語の主人公は、魔法の儀式のために希少なモンスターを殺して、その力の源を手に入れなければならないのかもしれない。あるいは、フレーメン族とサンドワームのように、お互いに都合のいいバランスを見つけ出すのかもしれない。もし竜の牙を抜いて無敵の魔法剣にしようというなら、抜かれた牙はまた生えてくるのだろうか。それとも竜は牙を抜かれると死んでしまうのだろうか。竜の牙という魔法の資源は、どれほど有限で危険を冒さないと採取できないのだろうか。

希少性と採取の難易度によって、モンスター由来の魔法は貴重で高価にもなれば、どこにでもあるありふれたものにもなる。

★01——Frank Herbert, *Dune*, G.P. Putnam's Sons, 1984(邦訳＝フランク・ハーバート『デューン 砂の惑星 上』、酒井昭伸訳、早川書房、二〇一六年、二一一頁)

第二章——人間性の光と闇を引き出す

『ナイト・オブ・ザ・リビングデッド』の悪役は誰だ?

ジョージ・A・ロメロ監督が先ほど教えてくれたとおり、あの映画の場合、モンスターは悪役ではない。

ゾンビの群れというものについて考えてみよう。前の章で定義づけたとおり、ゾンビは悪役ではない。やつらは田舎道や人気のない都会の街路をうろうろしているだけだ。死んだ人間が動き回ってるということが、そして、それがきみが知っている人だったり愛した人だったりすることが、しかもそれがきみを食べようとするということが、ゾンビの恐ろしさだ。しかし、「ウォーキング・デッド」、『ワールド・ウォーZ』(二〇一三)に出てくるような『ナイト・オブ・ザ・リビングデッド』型の古典的なゾンビは、知能があっても僅かで、食べること以外に欲求がない。

ゾンビが本当は何をしているのかというと、実は生きている人間を危機に陥れ、問題に対処できるかどうかを試している。ロメロはゾンビが自然災害だと言っているが、適切なたとえだ。現実の世界でも同じことは起きる。洪水や竜巻といった自然災害に襲われたときには、様々な英雄的行為が見られる。瓦礫の下を這って隣人の犬を助ける人でも出てくれば、人間というのは素晴らしいものだと私たちは喝采を浴びせ、自分もちょっと気分がアガるというわけだ。

一方、ハリケーン・カトリーナの被害の後には、レイプ、盗難、殺人、襲撃といった事件が起きた。自然災害でも人災でも、そのようなことは起きる。ときとして災害は、人間の最悪の部分を引き出す。街は破壊され、法秩序も機能しない。そして人々は正気を失う。たとえば大地震も、ゾンビ黙示録と同じで、人間の悪い部分が闇から浮上する言い訳になるのだ。

モンスターというものは、人々に英雄的に振る舞う理由を与える。人間の良いところを引き出すことができる。皆でこの素晴らしい文化を守ろう！　私たちのいいところを守ろう！　一方、モンスターは人間の悪いところも引き出す。この混乱に乗じてうまいことやってやるぜ！　ゾンビものでは、このような善悪の対立が物語の対立の軸となる。

さらに、もう一つのキャラクターの類型が考えられる。それは恐らく主役ではないかもしれないが、恐怖に凍りついて、どうしていいかまったくわからなくなってしまうキャラクター。身を守ることすら考えられず、朝まで生き残れるかどうかすら頭にない。このようなキャラクターは、天変地異を生き延びようとしている登場人物たちの足を引っ張る、厄介な危険要素となる。

ゾンビや多くのモンスターたちは、そこにあるだけという意味で、ハリケーンと同じ。なぜ、どういう理由でそこにあるのかというのは、物語の核心ではない。鳥類の反逆がまったく説明されないアルフレッド・ヒッチコックの『鳥』がいい見本だ。本家『ナイト・オブ・ザ・リビングデッド』以来、死者が蘇る原因の一つとして彗星があるが、劇中で本当にそうなのかが確認されるでもなく、どうでもいいものとして忘れ去られる。生きて朝を迎えられるかどうかの方が、なぜこうなったのかという原因より今この瞬間には重要だからだ。続編とも言える『ゾンビ』(一九七八)の方でも、なぜ最近死亡した人の遺体が起き上がって他の人を食べるのかという、科学的に納得のいく原因解明はされない。だからこそ、ゾンビは怖いのだ。ゾンビはただの災害ではない。予測もできず、故に防止も治療もできない未知の災害なのだ。

キリがない。終わりがこない。これは、ゾンビがもたらす終末を不気味なものにするもう一つの理由だ。それはゾンビ相手に英雄的な振舞いをするハードルが高くなる理由でもある。燃え盛る家に飛びこんで猫を助けるのは、短時間で終えられる英雄的行為だ。猫は救われるかもしれないし、救われないかもしれない。どのみち消防隊員が駆けつけて、現場は消火されるか、または全焼して終わる。どう転ぶかはわからないが、ともかく災害は終わるのだ。ところがゾンビの黙示録は、またはきみが考案したモンスターによる侵略は、終わらず続く。下手すると永久に。何がどうなろうが、主人公は常に危険と隣り合わせなのだ。きみは永遠に、ゾンビに襲われる心配なしでは外出できない。加えて、ゾンビの厄災を逆手にとって悪だくみを企てる輩の心配もしなければならない。

まさにこれは、AMC制作でテレビドラマ化もされたコミックス・シリーズの「ウォーキング・デッド」の話の肝だ。この物語にはヒーローとして戦う父親や夫、そして警察官のリック・グライムズがいる。そして隔離された小さな共同体の独裁者になるはずだったガバナー（総督）と呼ばれる悪役もいる。それぞれ、この終わりなき災厄の中で生き延びる道を探って奮闘している。それぞれ安全な場所を探して、文明が完全に崩壊した世界で、形だけでも普通の生活を求めて一群の生き残りを率いている。リックとガバナーは、同じゴールに向けて違った方法で進む。だから出会った途端に対立が始まる。一方ゾンビどもにとっては、食べられればどちらの肉でも文句なしだ。

登場人物から善や悪を引き出すのは、ゾンビ黙示録限定の技ではない。ほぼどのモンスターでも同じことができる。孤立無援の空間に登場人物たちを閉じこめて、モンスターを一匹だけでも放りこめば、必ず衝動に駆られて誰かが何かをやらかす。それは自分を犠牲にしても皆を助ける衝動かもしれないし、皆を犠牲にしても自分が助かりたいという衝動かもしれないが。

モンスターには、きみが創造するキャラクターの「善」と「悪」以上のものを引き出す力がある。そもそも、善と悪を分かつ明快な線を引くのは難しい。「ウォーキング・デッド」に話を戻すと、善玉のリックも悪玉のガバナーも、完全に善と悪というわけではないのだ。二人とも心に深く傷を負っており、能力を尽くして生き残った人々を導こうとしている。どちらも酷い間違いを犯し、ありえないような決断を迫られ、それぞれ慈悲と暴力を見せる瞬間がある。

しかし、一方は間違いなく悪玉で、他方はどう考えても善玉だ。

私は悪玉のキャラクターをこう定義づけている。その人を動かす動機は理解できるが、手段に嫌悪感を覚えるのが悪玉。その人を動かす動機が理解できて、手段も尊敬できるのが善玉のヒーローだ。モンスターの対処をすることで、良い手段を取るか悪い手段を取るかが分かれるのと同様、その人の要領の良し悪しも引き出される。そしてリックもガバナーも極めて要領が良いことが証明される。モンスターをぶつけることで、ぶつけられたキャラクターの執念深さ、忠実さ、信頼の厚さ、懐の深さ等が表現できる。モンスターだらけの世界に登場人物を置き、行動や決断を迫り、物語が始まる前以上(または始まる前以下)の自分になる機会を与えてやれば、隠された様々な性格や人格が飛び出してくるのだ。

ドイツの哲学者フリードリヒ・ニーチェも言っている。「怪物と戦う者は、自分も怪物になってしまわぬように気をつけるがいい。あまり長いこと深淵を覗き続けると、深淵に覗き返されてしまう」。

場合によっては、自分もモンスターにならないと倒せないモンスターもいる。SF映画『ピッチブラック』(二〇〇〇)の主人公も己の怪物性を認めることで敵に打ち勝つのだ。主人公レディックは、モンスターとして登場して思いがけずにヒーローになる。とは言っても危険な男であることに変わりはないのだが。スーパーヴィランとも言うべき凶悪犯罪者レディックが、監獄惑星に連行されるところから映画は始まる。その惑星の土着のモンスターが姿を現すと、レディックは取りあえず自分の利益のためだけに動く。しかし、やがて賞金稼ぎの男が悪玉としての本性を現すにつれ、レディックの内に秘められたヒーロー魂が目覚め、賞金稼ぎと敵対する。一方、ひたすら空腹なその惑星のモンスターの相手をして生き残るには、レディックの持ち前の態度の悪さと暴力性が、欠かせない武器となる。

ダークホース・コミックスの編集長スコット・アリーはこう言っている。「人間の人格を単純に善か悪かで見ることよりも、その人のもっと微細な性質に興味がある。主人公の善悪を探る物語も否定はしないが、ざっくりし過ぎていると思う。その人が正直なのか、仲間に忠実なのか、見栄っぱりなのか、そしてそういう側面がどのような言動に現れるのか、そういうことに興味がある」。

イアン・M・バンクスが『Against a Dark Background(暗い背景の前で)』で次のように書いたが、そのとおりなのだ。「人類というのは、モンスターに弱いからね、モンスターを一つ創造したら、それを崇拝してしまうんだ[★01]」。

★01——Iain M. Banks, *Against a Dark Background*, Orbit, 1993.

偉大なモンスターたち

ゴジラ

現在〔二〇一四年、本書執筆時点〕までに主演映画二八作を数え、更新中。テレビのアニメ・シリーズ、書籍、ゲーム、他の様々なメディアで大活躍を続けるゴジラは、名実ともに「モンスターの王様」だ。恐竜をベースにしたこの巨大な放射能怪獣のデビューは一九五四年本多猪四郎監督『ゴジラ』だった。「ゴリラ」と「クジラ」をくっつけた名称から連想される初期デザインが破棄されたのは、幸いだった。荒涼として政治的な印象の濃いオリジナル『ゴジラ』は、アメリカ公開に際して「Godzilla」として再編集された〔一九五六〕。

放射能によって変異し、放射能火炎とでもいうものを吐き散らすこの巨大なモンスターは、あからさまに原子力時代がもたらす悪い側面の比喩だ。ゆえにこのモンスターがほとんどいつも日本に現れるのも、日本を襲うのも不思議なことではない。

広島と長崎への壊滅的な原子爆弾攻撃を経験した日本は、核兵器の危険性を誰よりも知っているわけだが、ゴジラというモンスターが持つもう一つの暗喩も見逃しがたい。それは、真珠湾攻撃成功の折に大日本帝国海軍山本五十六司令官が述べた〔出典に疑問は残るのだが〕「これでは眠れる巨人を起こし、奮い立たせる結果を招いたも同然である」という発言が意味するものの比喩〔恐らく『トラ・トラ・トラ!』〔一九七〇〕〕。

核兵器の実験によって眠りを妨害されたゴジラが、海の底から来る。そして、第二次世界大戦中の東京大空襲をはじめとした都市爆撃や、広島や長崎の恐ろしい被害を連想させる大規模な破壊をもたらす。

一方でゴジラは〔ある意味他のすべてのモンスター同様〕、私たちの手に負えるとは思えないような巨大な脅威に抗する力を、私たちに与えてくれもする。ゴジラに勝つということは、原子爆弾に勝ったということなのだ。モンスターは、そのように現実世界の悪の代理を果たすことが多い。たとえば『盗まれた街』〔ジャック・

フィニィ著、『ボディ・スナッチャー／恐怖の街』〔一九五六〕の原作〕で描かれる異星生物の侵略は、冷戦の最中に台頭する社会主義の脅威を暗に示している。

キャリアが長くなるにつれ、ゴジラは地球を侵略者の魔の手から守る守護者という、意外性に満ちた転向を果たす。『怪獣島の決戦 ゴジラの息子』〔一九六七〕では、困惑する子心と苛立つ親心というペーソスで観客の心を揺さぶりすらした。何しろ、ちょっとした茶目っ気すら見せるようになるのだ。

ゴジラが悪玉でも善玉でも、その発想の源には人類の無責任さがある。戦争や破壊、より強力な兵器への渇望。同時にゴジラは、贖罪と赦し、さらには親の愛情まで含む人間の品格をも表現している。

巨大なモンスター、いや敢えて怪獣と呼ぼう、怪獣は日本のSF作品の十八番となり、ギレルモ・デル・トロの『パシフィック・リム』〔二〇一三〕や、ハリウッド・リブート版ゴジラの存在が明らかにしているように、アメリカの観客にも重要な意味を持つにいたった。

巨大モンスターが登場する物語を書くのは、その脅威の規模の大きさも個人単位ではないので、ある意味ちょっと難しいかもしれない。しかし、自然災害の脅威と似たものだという意味ではゾンビの群れと同じ。突然出現して街を破壊する力に対して、ちっぽけな人間がどのように反応するか。それが物語の核にあるのだ。

モンスターの基本型
吸血鬼

半分冗談だが、国連に電話して、全世界的に新しい吸血鬼もののシリーズを一〇年の間禁止する条約の批准を提言しようと考えている。これ以上吸血鬼もので目新しいことができるはずがないと思ったからだ。

そう考えていた矢先、『30 Days of Night〔30デイズ・ナイト〕』というグラフィック・ノベルを読み、面白かった。よし、この作品以上に目新しい吸血鬼ものは多分出てこない、吸血鬼もの禁止条約は明日から実施。そう考えていたところで『モールス』（二〇一〇）を観た。感情的に深く猛烈に怖い。禁止条約は再び延期された。

実際、私が吸血鬼ジャンルの小説や映画を面白いと思おうが思うまいが、吸血鬼の人気が衰える気配はない。ということで、この件に関する限り私の感想は当てにならないということだ。

『30 Days of Night』や『モールス』、そしてオクテイヴィア・エステル・バトラーの『Fledging（巣立ち）』。さらには吸血鬼アクション・スリラー「アンダーワールド」シリーズ、そしてステファニー・メイヤーのメガ・ベストセラー「トワイライト」シリーズも同様だが、いずれも皆が知っている吸血鬼もののお約束をちょっと捻ったところが、面白い。最近の吸血鬼ものは、もはやブラム・ストーカーが書いた『ドラキュラ』の物語との共通点がほとんどない。〈使い古された表現〉と〈基本型〉の違いについては、次の章で詳しく解説するとして、取りあえず今明らかなのは、吸血鬼というジャンルは近年多様で幅広い形態をとるようになったので、きみが創造する吸血鬼も、きみの想像力と物語に応じて他に類を見ない独自のものにしても、まったく構わないということだ。

仮にそうだとしても、吸血鬼というものが長い時を経ても失わない魅力が何なのか、ちょっと考えてみよう。血を吸うモンスターに私たちが飽きない理由。『Hotel Transylvania（ホテル・トランシルヴァニア）』他、「吸血鬼サン・ジェルマン伯爵」シリーズで有名な小説家チェルシー・クィン・ヤーブローの説を拝聴しよう。「半永久的に死なないということが、吸血鬼の魅力の一つと言いたいところですが、それでは雑すぎますね。死に対して自ら免疫を得たのが吸血鬼という存在で、私たちもそうなりたいと憧れますよね。そして生身の人間と関係を持たないと生きていけないという性質が、あらゆる意味でとてもエロチックです。これは魅力的にしかなりえない組み合わせですよ」。

吸血鬼の存在は、高度に抽象的な比喩として機能する。そもそも、利己的で横暴な欧州貴族が吸血鬼伝説の発想の源だったはずだ。〔英語では〕特権階級の搾取的な振舞いを指して「血を吸う」と言うではないか。まるで普通の人が昼間活動するのに対して吸血鬼たちが夜に生きるように、普通の世界とは一線を画したところで生きる人たち。持たざる者たちから労働（血）を搾り取って生きる人たちという比喩。

様々な形態をとり得る吸血鬼は、人間が秘めている善と悪を効果的に引き出す。ブラム・ストーカーが書いた吸血ジャンルの元祖『ドラキュラ』の登場人物レンフィールドは、哀れにもドラキュラ伯爵の力に屈し、僕《しもべ》にされてしまう（伯爵、つまり彼が貴族なのは偶然ではない）。一方、ジョナサン・ハーカーは吸血鬼の手下にされずに逃げる。そしてこの物語のヒーローになっていく。吸血鬼というモンスターは、このように私たちに服従か抵抗かを迫るのだ。

吸血鬼は何らかの形で被害者でもあり、しばしばそのように描かれる。恋に悩み、自責の念と後悔に苦しみ、その土地に住む人々の血を永久に吸わなければならないという重い宿命からの解放を願うモンスター。チェルシー・クイン・ヤーブローが指摘するように、様々な作家が吸血鬼を恋愛対象、あるいは欲望の対象として登場させている。

ダークホース・コミックスのスコット・アリーに、一番恐ろしいモンスターは何か尋ねてみた。答えは『呪われた町』に出てくるグリック家の子どもが怖い。テレビのシリーズ〔「死霊伝説」（一九七九）〕もよく出来ていたけれど、小説は何度読んでも怖い。何年経っても怖い。他の小説でそういうのにお目にかかったことがない。スティーヴン・キングは、まず読者をダニー・グリック少年にたっぷり感情移入させる。ダニーとマーク・ペトリーの友情をしっかり描きこんだ上で、〔吸血鬼にされた〕ダニーが窓を引っ掻いてマークの部屋に侵入する様子を執拗に描く。キングが書いたものは、すべてリアル。真に迫って嘘がない。子どもの頃にこの小説を読んだときも、十代で読み直したときも、いつも窓の外にダニーがいたらどうしよう！と思った。いつ読んでも怖くて凍りつきそうになる」。

現実世界のモンスターたち
母なる自然

「モンスター」級と呼ばれる竜巻がどれだけあったか検索してみた。すると五七〇〇万件もヒットしたのだ。天空から舞い降りて、ゆく手を阻むものをすべて破壊する竜巻がモンスターでなかったら、何だというのか。

ゴジラやゾンビの群れが自然災害的なモンスターなら、モンスター的な自然災害という考え方もありだろう。サイファイ・チャンネル制作の「シャークネイド」シリーズ(二〇一三―)がやり尽くした感もあるが、まだ開拓の余地がある方向性だと思う。

スティーヴン・キングの「霧」は、異常な気象現象と思われる何かが発端となる。メイン州ブリッジトンが、正体不明の深い霧に包まれる。霧の中に隠れているラヴクラフト的な恐ろしいモンスターたちと同様、霧自体もモンスターだと言える。止めることも、予測することも、退治することもできない霧が、外部から侵入してくる怖ろしい猛獣たちと一緒になって襲ってくるのだ。

「自然は恐ろしい。しかもそれは、わかりやすい形ではなく、抽象的な恐ろしさだ」と、マーティン・J・ドアティが言っている。「震えあがるような恐怖体験を巻き起こす可能性を秘めているのに、あまりにわかりにくいので、その恐ろしさを忘れてしまう」。

ならば母なる自然というモンスターは、どこにでも隠れているということだろうか。晴れた暖かい日なら何も心配することはないが、そこに黒雲が垂れこめ、私たちを取り巻く世界は突然破壊的な威力を持つのだ。そう、世界がモンスターになる。

モンスターとしての母なる自然についてニナ・ヘス

は「扱うのは難しいけれど、巧くやれば最高の悪役になります。動機が何かとかいうことも考えなくて済みますしね」と言っている。ゾンビと同様、竜巻（サメ入りも含む）は、思考しない。私たちに対する策略によって動いているわけではないが、それでも「食う」ことに変わりはない。

未確認生物

ネス湖の怪獣

スコットランドのネス湖で、説明不可能な怪物が目撃されたという最初の情報は、休暇中のスパイサー夫妻によってもたらされ、拡がった。夫妻は、後にネッシーと呼ばれることになるその怪物が、湖沿岸の道路を不器用に歩いているところに遭遇したという。一九三三年七月のことだった。以来目撃情報は絶えることがない。

ネス湖は、長さ約三五キロで最大水深二三〇メートルという細長い淡水湖だ。地質学者によると、数百万年前には海に繋がっていたという。六六〇〇万年前、恐竜が絶滅してしまう前に地球の大海原を泳いでいたプレシオサウルスの少数の生き残りが、ネス湖へたどり着き、現在にいたるのだろうか。

絶滅したと信じられていた生物が見つかることはあるが、プレシオサウルスほどの大きさの生物の場合、藻の一種や深いところに棲息する魚とは話が違う。実際のプレシオサウルスは少なくとも一六メートルはあったのだ。

ネス湖のモンスターを発見する真面目な試みが、目撃以来何十年にもわたって行われてきたが、確たる証拠がないことの説明や、目撃そのものを疑う諸説の前に、その成果は霞んできた。流木ではないか。船の航跡かも。鮭の群れでは？

その間も、伝説は拡がっていった。ネス湖だけでなく、世界中の湖から似たような目撃情報が寄せられ、その結果〈湖のモンスター〉という新しいカテゴリーが、未確認生物の世界に加わった。

現在でも、その存在が確認されず、分類されていない生物はたくさんいる。ネス湖ほど深い湖の濁った水中であれば、もしかしたら何かが湖内の洞窟に隠れている可能性はないのだろうか。

モンスターは暗い場所から来る。ならば水深二〇〇メートルを超えるスコットランドの湖の底も、間違いなく暗い場所だ。しかし、前の章で触れたモンスターの定義と照らした場合、ネッシーは誰も傷つけていないという矛盾がある。それどころか、ネッシーには私たちをほっこりさせる何かがある。ネス湖の公式マスコットとして、地元の観光の親善大使のような存在。その存在なしでは、地元民以外がネス湖を知ることはほとんどなかっただろう。恐ろしい目撃情報はなく、危険なことをしていたという証言もない。この世捨て人のようなモンスターは、人もボートも襲わないが、きみがネッシー伝説を創作するなら、何をさせても構わない。

ネッシーを創作するときに考えてほしいことが幾つかある。それは❶モンスター(ネス湖の怪物)なのか。それとも❷たんに動物(プレシオサウルス)なのか。それとも❸第三のカテゴリー(マスコット、友達、ペット)に落ち着くのか。この区別には気を配るのがいいと思う。❶の場合、ネス湖の怪物は悪夢のような怪獣。登場人物を物理的に襲う。❷の場合、もはやそれはモンスターの物語ではない。生存を賭けたプレシオサウルスの物語になる。❸の場合、子ども番組で放映されるようなアニメキャラとしてのネッシーが相応しいだろう。

竜や吸血鬼、そしてユニコーンと同様、湖のモンスターにも大きな解釈の余地がある。きみにとって、ジュラ紀の大型捕食生物の成れの果てが象徴するのは何なのか。地球上に存在する未踏の場所だろうか。もしかしたら、他の恐竜の生き残りも洞窟の中に生きているということだろうか。

湖(海でも河でも)のモンスターは、障害物としても機能的だ。恐ろしい謎の生物がいると噂される水域を渡らなければいけない話。世界中にある湖のモンスター伝説を少しでも調べれば、物語の閃きの種がたくさん見つけられる。謎の怪物の噂に登場人物は怯えるが、結局そんなものはいなかった、またはそれほど恐ろしいものではなかったという展開もできる。

現実世界に存在する証拠待ちという意味では、ネッシーもビッグフットと同じだ。今あるのは想像された怪物だけ。それがあれば十分だ。ネス湖の怪物は誰の所有物でもなく、皆のもの。でも使うなら、用心して使おう！

モンスター的な物

呪いのアイテム

呪いのアイテム。それは、H・P・ラヴクラフトが複数の著作で言及している悪名高いネクロノミコン（ラヴクラフト以降もいろいろな作品で使われる）から、テレビ映画『恐怖と戦慄の美女』（一九七五）に登場した命の宿った人形まで、どんな形のどんなものでもありうる。映画版の『エクソシスト』（一九七三、およびその続編）では、少女に憑依した悪魔は、聖地の遺跡から持ち去られた出土品経由でアメリカに来たという示唆すらある。ファンタジーとホラーの世界を見渡すと、呪いのアイテムだらけだ。テレビ・コメディ「ゆかいなブレディー家」（一九六九－一九七四）で主人公たちがハワイに行くエピソードでは、ティキ人形にかけられた呪いのせいで、子どもたちがタランチュラと遭遇する羽目になる。

いくつもの受賞歴があるゲーム・デザイナーでベストセラー小説『Condemnation（糾弾）』の著者でもあるリチャード・ベイカーは「呪いのアイテムには、選択という要素がある。呪われることになる人は、どこかで自分の運命を選んでいたというわけだ。それは猿の手とか、『ヘル・レイザー』（一九八七）のルマルシャンの箱でも何でもいいわけだが、そのアイテムを弄ばないだけの理性がその人にあれば、悪いことは起きない」。

呪われた何かを使ってモンスターを召喚するのは、あまりにありきたりになってしまったので、映画『キャビン』(二〇一二)で風刺されているほどだ。小屋の地下にあるアイテムのどれを選ぶかによって、呼び出されるモンスターも違う。

この短い文章の中でコメディ「ゆかいなブレディー家」からホラー映画『ヘル・レイザー』まで駒を進められてしまったのがなぜかと言うと、リン・アビーが言っているように「作者にとって、呪いのアイテムを使えば物語を楽に作れるから。世界には無限のアイテムがあり、呪いの種類も無限にあり、つまり作れる物語の数は無限の二乗ということになるからですね」。

第三部

モンスターの書き方

◎ついにタイヤが路上に接地するときがきた。きみたちの場合、ペンが紙にと言った方が適切か。創作するモンスターがどのようなやつで、どうしてそいつがきみの書いている物語に必要なのかということは、今までの章で押さえた。ここからは実践だ。考案したモンスターを、どのように導入して、どのように描写して、どのように動かすかということを考えていこう。

◎本書の助言以外に、モンスターを書くための、そして「怖く」書くための最高の授業があるとすれば、それはきみ自身を怖がらせた文章を何度も、丁寧に読み解くことだ。私の場合、リチャード・プレストン著『ホット・ゾーン：エボラ・ウイルス制圧に命を懸けた人々』を何度も読む。これはノンフィクションで、「モンスター」といってもエボラ・ウイルスだが、『ホット・ゾーン』の第一章以上に恐ろしい文章を私は読んだことがない。エボラ・ウイルスに罹患して死ぬというのがどういうことか、プレストンは一切手加減せずに、鮮明に、そして人間味たっぷりと描く。彼の筆致によってこのウイルスは、活字の歴史の中で最も恐ろしいモンスターになった。しかも現実世界にそれがいるのだから、なお怖い。

◎作者が常に念頭に置いておきたいのは、物語を進めるためにモンスターが担う役割は何かということだ。そのモンスターは、どのように物語を興味深くするか。どのように物語の中心にある対立に関わっていくのか。そして、どのように登場人物たちの個人的な諸々に絡んでいくのか。きみの物語に登場するモンスターは、登場人物にとって恐ろしい？ 憐れ？ それとも何かに悪用し得るのか？

◎デヴィッド・ドレイクの言葉を借りると「それがどのようなモンスターかという定義は、私がつけるんじゃない。状況がモンスターを定義づける。作者がやるのは、その状況に相応しいモンスターを作ることだ」。

第三章 ルールを決める

本書の最初の方(ずっと前。覚えてる?)で、〈リアリズム〉と〈もっともらしさ〉という話をした。それがどのように機能するか、ここで実地に移してみよう。

竜は完全に想像上の、実在しない生物だが、その竜に「リアルな実在感」を持たせるのが何で、「嘘くさく」するのは何か。

答え。リアルだと感じた竜は、明確に定義づけられた一定のルールに従って存在している。そして嘘くさい竜には、従うべきルールがない。

ファンタジー、SF、ホラーというジャンル。小説、映画、ゲームという媒体。これらの表現はいずれも、想像を絶する代替現実の体験を前提にして売られている。そこで魔法が使われていようと、そこがどんなに奇妙な環境でも、そこに不思議な生物がいても、恐ろしいモンスターがいても、驚くようなことではないという前提だ。このようなジャンル作品のファンは、ただ漫然と「信じられない」という気持ちを一時停止してくれているわけではない。すべては、作品がファンたちの「信じられない」という気持ちを一時停止できるかどうかに、かかっているのだ！　作品を読んで不満を感じたファンたちの言い分は、架空のファンタジー世界に、遠い未来に、呪いの館に我を忘れて一時的にどっぷり浸るどころか、がっつり現実に引き戻されてしまうというものだ。

読者は、きみの作品が紡ぐファンタジー世界の共犯者になりたがっている。効果的でもっともらしいクリーチャーを存在させるのに必要なら、奇妙なディテールも喜んで受け入れる気持ち満々なのだ。そのためのルールは作者次第。作者の想像力次第だ。「ヘンすぎ」なんてことはないのだ。読者はモンスターが実在すると信じているわけではないが、きみが創る世界の中では実在すると信じてくれる。だから何よりも一貫性が大事なのだ。

小説家のマーティン・J・ドアティもルール作りに賛成だ。「一揃えのルールは必要。ただし、読者に対してすべてのルールを明かさなければならないわけではない。私はよく頭の中で、モンスターを類型にはめこんでみる。「狂ったように大暴れしてすべてを踏み壊す巨大なやつ」とか「非友好的な実態のないパワー」とか。その上で、そのモンスターに何らかの力を持たせたかったら、次の二つの観点からその力の正当性を評価する。一つはそのモンスターがそういう力を持ってもおかしくないかどうか。もう一つは、そのモンスターについて読者が知っているのは何かということだ」。

「そのモンスターについて読者が知っているのは何か」というのは、ルール決めの肝だ。読者は、きみがモンスターにやらせたことしか知らない(能力の説明は避けること。その能力を使って何かをするアクションを書こう)。「そのモンスターに冷たい環境に耐えられる能力が必要だとして」ドアティは続ける。「その前に冷たい場面がなければ問題ないが、もし二〇〇ページ前にそのモンスターが氷河で寒さに震えていたなら、急に寒さに強くするわけにはいかない。もしそうしたいなら、氷河の場面はリライトだ」。

これも大事なポイントだ。常に設定を修正する気持ちを持とう。本が出版されるまで、または映画が公開され、ゲームが発売されるまで、マーティン・ドアティが書いた氷河で震えるモンスターを見た者はいないのだ。執筆途中にそのモンスターが寒さに強くなければいけないとなったら、前の場面に戻って書き直そう。

モンスター創作のルール

「いいモンスターに必要なのは、攻撃力、防御力、それから役に立つ特徴」。これがリチャード・ベイカーがモンスター創造に使う経験則だ。

ベイカーは続ける。「攻撃力というのは、言わなくてもわかると思うが、そいつはどうやって襲うかということ。鋭い爪で引き裂くのか。吻を突き刺して中身を吸い出すのか。精神を食べるのか。その運命が訪れるときには、読者または観客の怖いという本能に訴えれば理想的。次は防御力。つまり、どうしてそのモンスターを簡単に殺せないかということ。モンスターは、たまたま手元にあった銃器で簡単に解決できる程度の問題であってはいけない。数が多くて手持ちの弾丸で全部のモンスターを殺しきれないから、というのでも構わない。最後に、役に立つ特徴。これは、殺すとか防御することに直接関係ないが、物語を面白くする要素。『ブレア・ウィッチ・プロジェクト』の魔女は、自分の縄張りを薄気味悪い人型の枝で飾る。そして殺す前に人を部屋の角に立たせる。吸血鬼は招き入れられないと人の家に入れない。そういう特徴のことだ」。

「ダンジョンズ＆ドラゴンズ」や、［本書執筆時点で］発売間近の「Primeval Thule（原始のトゥーリー）」のようなRPGのデザインやキャンペーン設定に多くの時間を費やすリチャード・ベイカーだが、もちろんそれは偶然ではない。プレイヤーが一貫性のあるゲームプレイを楽しむには、RPGのモンスターたちが一律のゲーム用語で表現されていなければならない。そうすることで、どのモンスターに何ができて何ができないかが明確になる。しかし決められたルールさえあれば、そのモンスターの存在がもっともらしくなるとは限らない。モンスターを創造するときは、物語に関連した意図を押さえておかなければならない。たとえばある異星から来たモンスターなら、その環境に応じた存在でなければならない。RPGからは、いろいろと役に立つコツがつかめ、しかも閃きを得ることもできる。

見本として「Primeval Shute」から「Star-thing of Nheb」★01のキャラ設定を借してもらった。

ネブ星の化け物

CR（キャラクター・ランク）9

不健康そうでぬるぬるとした体表。身の丈10フィートにもおよぶ。奇妙に透き通った体のせいで、その場に実在していないような印象を与える。両腕の先端には強力な触手がとぐろを巻いている。

経験値……………**6400**

属性……………大型・異形、中立にして悪

イニシアティブ＋**1**

感覚……………疑似視覚60フィート、知覚＋16

［**防御力**］

アーマークラス……………21、接触9、未戦闘時21（−1サイズ、＋12ナチュラル）

ヒットポイント……………104（11d8［8面ダイスを11個振るという意味］＋55）

精神力……………………闘志＋9、反応速度＋3、意思＋11

耐性……………………寒さ、病気、毒

［**攻撃力**］

移動速度………………時速30フィート、泳ぐ速度 時速20フィート

近接攻撃………………触手2＋14（2d6［6面ダイスを2個振る］＋7で、つかめる）

呪文のような能力（**キャラクター・レベル11th**）

▼常に可能――気絶させる

▼1日1回――虹のパターン（DC16）、瞬間移動

▼1日3回――姿がぼやける、次元アンカー（＋7 遠隔接触）、呪文解除魔法

特殊能力………………締め上げる（2d6［6面ダイスを2個振る］＋7、ライフ吸収）

［**ステータス**］

▼**STR**（**攻撃力**）25 ▼**DEX**（**器用さ**）10 ▼**CON**（**耐久力**）19 ▼**INT**（**知力**）12 ▼**WIS**（**判断力**）15

▼**CHA**（**魅力**）8

▼**BASE ATK**（**基礎攻撃力**）＋8 ▼**CMB**（**戦技ボーナス**）＋16（＋20 クリーチャーをつかむ）

▼CMD（戦技防御値）26

特性……不屈、制圧力強化、自然攻撃力強化（触手）、鉄の意志、剛力、強靭

スキル……登る＋21、縄抜け＋14、知識＋15、知覚（アルカナ）＋16、隠密行動＋14

言語……共通言語を理解するが、話せない

［生態］

環境……寒冷な山々

組織……単独またはパーティ（2から4）

宝物……標準

［特殊能力］

非物質的移動（超自然的能力）——ネブ星の化け物は、移動アクション時、または移動アクションの一部として、物質界から非物質界（エーテル界）へ移動できる。そのとき、格闘中のクリーチャーを連れて移動することができるが、格闘相手が非物質のまま格闘が終了した場合、相手は物質界に残される。ネブ星の化け物は、1＋耐久力修正値（ほとんどの場合5）回の間しか非物質状態でいることはできず、その回数以降は元に戻る。非物質界に移動した後は、2回連続してこの能力を使うことができなくなる。それ以

外は、イセリアル・ジョーント〔キャラクター・レベル15th〕の能力とほぼ同じ。

生命吸収〔超自然的能力〕――ネブ星の化け物の触手に締めつけられた者は、1d4［4面ダイスを1個振る］の体力を奪われる〔不屈セーブDC19回避〕。相手の体力を1ポイント吸収するとネブ星の化け物は5ポイントのダメージを回復できる。

ネブ星の化け物は、異世界から来た醜い怪物で足を引き摺るように歩く。酸素濃度の低い空気と寒冷な気候を好むので、普段は人里離れた山の上にいる。巨大かつ野蛮な獣のような外見に反して、かなり知的。侵入者を魔法のオーロラで誘いこみ、死に至らしめることで知られる。諦めが悪いので敵に回すと始末に負えず、逃げる敵をどこまでも追いかけて倒すことでも知られる。

ネブ星の化け物と意思を通じ合わせるのはほぼ不可能だが、堆積した希少金属を求め、いにしえのパワーに由来する場所にも引き寄せられる。ほとんどの地球人または地球の生物にとってこの化け物は役に立たないが、強力〔そして向こう見ず〕な魔術師や狂信者は、希少金属または失われた遺物でこの化け物を懐柔して使うこともある。この化け物と渡り合う術を知っている者にとっては、ネブ星の化け物は、非常に奇妙でかつ有効な暗殺者となる。

もしきみがd20システム採用のRPG用語に精通していなかったら、〈移動速度時速30フィート〉が何を意味するかわからないかもしれない。基本的には、数字が大きいほど強い、大きい、より良い、ということだ。誤解してほしくないのだが、決してファンタジー小説を書く前にRPGをデザインするべきだと言っているわけではない。それでも、創作するモンスターの能力を、現実に存在する何かと較べて描写してみる価値はある。たとえばそのモンスターは普通の人間の倍力強い。豹のように木を登ることができる。ホッキョクグマのように寒冷地に強い、等々。

ファンタジーといってもいろいろな風味があり、SFといっても多様なので、あるジャンルで通用するもっともらしさも、別のジャンルでは嘘くさくなってしまうかもしれない。いわゆる「ハードSF」の読者は、宇宙船の航法からモンスターの進化体系まで、想像されたものであっても、厳しい科学的正確性を求める。そのモンスターが生まれた独自の環境、つまりその惑星の重力、気候、放射線、地勢

モンスター創作練習問題

どうやって動く?

「ネブ星の化け物は、移動アクション時、または移動アクションの一部として、物質界から非物質界へ移動できる」。では、きみのモンスターはどうか。泳ぐ、歩く、蜘蛛のように這い登る、飛ぶ、次元を跳躍する、魔法または精神的な力で瞬間移動する、消滅して別のところに出現できる、等々。人間は二本脚で歩き、犬や猫といった四本脚の動物と仲良くするが、脚の数が四本以上のもの(昆虫、蜘蛛)や、脚のないもの(蛇)を見るとびびる。どれほど敏捷かわかっていれば、そのモンスターを防ぎようもあるかもしれないが、突然背後で実体化されたら! たとえば「ドクター・フー」に登場する嘆きの天使は、モンスターとしてはテレビ史上最恐の部類だが、この天使たちはきみが見ている間は動けない。だからきみは瞬きすらできないのだ。これは恐ろしく大変な状況だ。

等を考えてみることで、よりもっともらしい生物を創り出せるかもしれない。

私が空想科学物語について考えるとき、空想比と科学比で分解してみるのだが、その比率をどうするかは作者であるきみ次第だ。空想比が高めの作品が好きなお客さんもいれば、科学比が高いのが好きなお客さんもいる。たとえばスター・ウォーズのような物語は、空想比が高め。空想9：科学1といったところだろうか。一方アーサー・C・クラークやアイザック・アシモフ、グレッグ・ベアのような作家の著作は、科学9：空想1だ。ベアの『ダーウィンの使者』などは、まさにそうだ。比率がどうであれ、きみが創作したモンスターはきみだけのもの。どうするかは、創造者であるきみにしか決められない。

他方ファンタジーは、基本的に何でもありの領域だ。もし一から世界を創造するのなら、そこに適用されるルールをすべて作らなければならない。モンスターに関係のないルールもだ。その世界の竜は大きいのか小さいのか。人の肩に乗るほど小さいのかもしれないし、もしかしたら竜＝世界で、人々は竜の中に住んでいるのかもしれないし、その背に都市を築いているのかもしれない。きみの思いつき次第。何を思いついた？　語ってくれ、いや、見せてくれ！

何を思いついたとしても、すべてはきみが決めたルールに従うということを、忘れずに。

第一四章 大きさ

大きいモンスターと小さいモンスター。どちらが怖いかと小説家ブレンダン・デニーンに聞いてみたところ、「いやいや、皆わかってると思うけど、サイズの問題じゃない。映画『チャイルド・プレイ』(一九八八)のチャッキーはお気に入りのモンスターだし、ゴジラも好きだ。チャッキー対ゴジラ……どう思う? いけるんじゃない?」

その企画の売りこみはブレンダンに任せるとして、「サイズの問題じゃない」という意見には全面的に賛成だ。大きいモンスターは大きいなりに、小さいのは小さいなりに、怖いのだ。

大きいから怖い

動物の世界を見渡すと、人間は実は結構大きい部類に入るのがわかる。もちろん象やキリン等、人間より大きい動物はいる。海にはもっと大きいのがいる。シロナガスクジラの個体には三〇メートトル近くまで育つのもいる。しかし平均的な大人の人間より大きな動物のリストは、人間より小さな動物のリストに較べるとずっと小さいので、心配はいらない。

とは言っても、巨大な生物に遭遇すればこちらも警戒する。人間社会でも、力が正義ということはある。体力こそが生存のために重要だった時代には、部族の中でも強い者が共同体を導いた。ビル・ゲイツのような「ギーク」が脳力と創造性によって勝利を収めるようになるまで、人類は長い年月を必要とした。しかし現在でも、たとえば高校のような原始的な社会では、身体の大きい者が支配力を持ちがちなのだ。

大きなモンスターは、物理的な脅威と物質的な破壊力にものを言わせる傾向が強い。迫ってくるゴジラを前にして、平然と立ちはだかって恐れずにガンを飛ばせるものではない。もしかしたらゴジラの視界にすら入っておらず、存在さえ認識されぬまま踏みつぶされるかもしれない。

巨大なモンスターを創作するときは、登場人物たちとの身長差が持つ意味をよく考慮しよう。もしかしたら、物語を繋ぐ横糸に、過去に負った心理的な傷跡に関わる何かがあるのかもしれない。自分より背格好の大きな人を相手に引け目を感じていた主人公が、桁違いに大きく恐ろしいモンスターを倒してトラウマを乗り越えるのかもしれない。小惑星生命体ゾーグロスに、巨体のスーパー兵士たちがことごとく敗北した後で、身体は小さいが頭の冴えた主人公が自作のハイテク兵器を使って勝ち、体力ではなくて知性にこそ価値があるのだと証明するのかもしれない。

問題は、大きなモンスターと言っても、どれほど大きければ脅威を感じるのかということだ。人間より大きければいいのか。自分より大きければいいのか。登場人物が恐ろしいと感じればどんな大きさでもいいというのが、答えだ。

昆虫や蜘蛛のことを考えてみよう。呼吸器官の構造により酸素摂取量が限定されるので、昆虫や蜘蛛はあれ以上大きくなれない。数百万年前、大気中の酸素濃度が今より高かったときには、虫は今より大きかった。ブロントスコルピオは今から四億年ほど前に棲息したサソリの一種で、体長は恐らく九〇センチほどだったと推測される。しかしそれも昔の話だ。ありがたいことに、現在その大きさのサソリは十分な酸素呼吸ができない。この単純な事実によって、SFの世界では巨大サソリの存在は難しくなる。しかし、ファンタジーの世界ならば、解剖学的な問題や大気の組成に関連する問題には、深入りせずに済む。だから三〇メートルのサソリでも何でも想像し放題。しかし、三〇メートルでなくて一メートルのサソリでも、サソリは怖い。挑みかかろうという登場人物はいないはずだ。

サイズに関してもう一つ考慮したいのは、巨大であることが体全体におよぼす影響だ。巨大な生物の動きは一般的にゆっくりだ。足は(象のように)幅広く、太い。

空想科学的な世界のモンスターなら、酸素濃度の高い大気と低重力という組み合わせが、空飛ぶ巨大昆虫を可能にする。逆に高重力で腐食性の大気なら、そこは殻を背負って地面にしがみつくように生活する生物の生活環境となる。

巨大なモンスターを書くときは、登場人物にも読者にも理解できる何かと比較して、その大きさを表現しよう。ファンタジーの世界で、モンスターの大きさや重さが明確な尺度で表現されると、時代錯誤感が出てしまう。「あれは高さ九六・三メートル、重さ一二・〇四トンだった」と言われても、中世的なファンタジー世界の住人の台詞に聞こえない。SFの世界で、何かのセンサーでスキャンした結果だというなら、もっともらしく響くかもしれない。

きみが創ったファンタジーの世界に登場するスライム獣が、国王の見張り塔の二倍ほどの高さだと表現され、しかも国王が二〇階分の階段を登って塔の最上階まで行く場面がその前にあったなら、台詞で明言されなくても、そのモンスターは二〇階建ての建物並みの大きさだということがわかる。

大きさの表現をどう捌くにしても、一九三三年版『キング・コング』のように、大きさがまちまちにならないようにした方がいい。特撮ショットごとに大きくなったり小さくなったりしたコングだが、エンパイア・ステート・ビルの天辺で複葉機を手にした姿を基準にすれば、大体の大きさがわかる。映画に登場する複葉機の中にはカーティス〇2C－2があった。翼幅が一一・六メートルである同機と比較するとコングは身長約一八メートルということになる。大きさを台詞で示唆するときに、一般的には何かと比較する方が具体的に述べるより良い。恐怖のどん底に陥っているときには、普通は具体的に述べないからだ。命がけで逃げまどっているなら「すごく大きい！」とか「家よりデカい！」という感じで、あまりはっきりしたことは言わないだろう。

しかし、そこに怪物をじっくり観察している人がいたなら、その描写は詳細なものになる。感情的に切り離されたように怪物の大きさを描写する人は不気味でもある。H・P・ラヴクラフトの「時間からの影」には、そのような場面がある。

真の恐怖は、一九一五年の五月、私が初めてそいつらの生きた姿を見たときに訪れた。私が例の神話やいろいろなケースの歴史を考慮した研究の末に、来るべきものたちのことを知るにいたる前のことだった。私の心を保護していた壁が薄れるにつれ、私の目には建物の中の様々な場所や眼下の路上に立ちこめる薄い靄《もや》の塊が見え始めた。

ぼんやりとした靄《もや》の塊は見る見るうちに形を帯び、ほどなくその怪物的な輪郭を、気味が悪いほど容易くなぞれるまでになった。動きにあわせて鮮やかに色を変える長さ一〇呎《フィート》、底辺の長さも一〇呎ほどの巨大な円錐形は、弾力性があり鱗に覆われてうねる物質でできていた。その頂点からは四本の柔らかい円筒形の器官が伸びていた。それぞれ一呎ほどの太さで、円錐形のものと同様のうねる物質だった。

四本の器官は時として消えたかのように収縮したかと思うと、一〇呎ほどの高さに伸びあがった。四本のうち二本は、先端にニッパの刃を思わせる鍵爪がついていた。三本目の器官の先端にはラッパのような形状の赤い突起がついており、四本目の先端には黄色味がかった直径二呎ほどのいびつな球形のものがあり、外周には暗い三つの目が並んでいた。

　頭を乗り越えるかのように生えているこの四本の灰色の茎には花に似た器官がついており、その下面からは緑がかった触覚、または触手が垂れていた。真ん中にある円錐形の底部はゴムのような感触の灰色の物質の房で飾られ、その物質が全体を伸張収縮させていた。


「心を保護していた壁が薄れるにつれ」という一節に注目してほしい。この男性は、理性を取り戻しながらこの現象を描写し始めている。この理不尽な事態を理性的に描写することによって、異質感がさらに増すのだ。この文章は、モンスターに遭遇した人の心の中を見せてくれる。これは実は態で、パニックに陥ったからビッグフットに見えているだけかもしれないと、その人が考えているわけではないのだ。

　どれほど大きくしても結構だが、ノートに寸法を書き留めておくといいと思う。そうすればキング・コングのように伸び縮みする羽目に陥らずに済む。そのモンスターの重さも決めておくことで、その重さが周囲の環境にどう影響するかも調べればわかる。たとえばブルックリンにある安アパートの屋根が持ちこたえる重量は？　二〇人ほどなら持ちこたえるとして、一・三トンほどとしよう(知らんけど！)。もしモンスターに屋根を踏み抜いてほしいなら、一・三トンより重くすればいい。もし屋根を壊さずに屋根の上で何かさせたいなら、もっと軽くすればいい。もしその建物の耐久性を理解している登場人物が屋根を踏み抜くモンスターを見て「あの屋根は一・三トンでも耐えるはずなのに！」と言えば、モンスターを計量しないで済むわけだ。

小さいから怖い

「魔女の家の夢」でラヴクラフトは、前の文章に登場したのとは正反対に小さくて獰猛な魔物どもを創り出し、今度は実寸ではなく現実に存在する動物に擬えてその大きさを表現している。

> せいぜい大き目のドブネズミほどの大きさで「ブラウン・ジェンキン」という古風な名前で町の人に呼ばれていたそれは、相互依存によって発生した集団妄想の素晴らしい成果であるように思われた。なにしろ一六九二年には、それを目撃したと証言した者は一一人にも満たなかったのだ。最近も見たという噂はあり、どれも気味悪いほど同じ内容だった。証言によると、それは長い髪の毛を持ち、ドブネズミの形をしていた。しかし鋭い歯の生えたその顔は底意地の悪そうな人間のそれで、前足も小さな人間の手のようだったという。使い魔として魔女キザイアと悪魔に伝言係を務め、魔女の生き血を吸血鬼のように啜って

育てられた。その声は吐き気を催すような、形容しがたい押し殺したような笑い声で、どんな言葉も話すことができた。夢に出る怪物たちの中でも、この神を冒涜するようなちっぽけな混合種ほど、ギルマンに突きあげるような恐怖と吐きたくなるような嫌悪感をもたらすものはいなかった。その姿が脳裏をひらりとよぎる様は、夢を見ていないときに古の記録や囁くような現代の噂に基いてギルマンが想像したものと較べても、千倍も忌々しいものだった。

「吐き気を催すような、形容しがたい押し殺したような笑い声」から、ひらりと脳裏をよぎる人面鼠のその表情にいたるまで、この小さな獣は絶対に路地裏で出会いたくないやつだ。暗闇でこんなのが脚をよじ登ってきたりしたら冗談じゃない。

『ヘルボーイ／ゴールデン・アーミー』(二〇〇八)に登場するモンスターは、さらに小さい。小さいが恐ろしい、歯の妖精だ。一〇センチそこそこだが、何が怖いってこいつらは、まずきみの歯を食べる。局所麻酔無しで歯を抜かれた後、残りを全部食べられるのだ。言い忘れたが、それが何千匹もいるのだ。

さらに顕微鏡レベルで小さいのになると、リチャード・プレストンが『ホット・ゾーン：エボラ・ウイルス制圧に命を懸けた人々』でほぼ勝ち目のないモンスターとして描写したエボラ・ウイルス。ウイルスを肉眼で見ることはできない。自慢の幅広の刀で斬ることも叶わない。ブラスターで撃つことも、心臓を十字架で一突きにもできない。内部に侵入して私たちを食べる。侵入されたことは、それに伴って起きる恐ろしい症状によって初めてわかるという怖さ。

背筋が凍る怖さ!

第二章に書いた恐怖症ワーストテンの中にあったように、私たちには自分より小さな「這い回るもの」への恐怖がある。昆虫も蜘蛛も人間より小さいが、怖いものは怖いのだ。人間と蜘蛛のサイズは比率的には高層ビルと人間ほども違うのに、蜘蛛一匹に悲鳴を上げるような人を私は知っている。そう、風呂場の鏡に映っているそいつだ。きみもそうか? みっともないからお互い黙っていよう。理性ではただの生き物だと理解しており、実際に害を与え得るものはほとんどいないと知っているが、同時にやつらが小さな世界の小さな捕食者だということも知っている。気持ち悪い捕食者。躊躇なく殺す。しかも見かけが怖い。モンスターの定義にあてはまるではないか。

そして、昆虫や蜘蛛は、どこか理解不能なところがある。無理をすれば不可能ではないかもしれないが、虫の眼を見つめるのは難しい。見つめても何を考えているかわからない。虫は、自分の考えを表現してくれない。人間と、いや哺乳類と同じように「考えている」かどうかもわからない。虫を怖がる子どもに「虫さんも私たちを怖がっているのかもしれない」と言うのが親の常套句だが、それも本当かわからない。もしかしたらフェロモンを使って、巣にいる仲間たちに「美味そうな人間がいる、群れで襲えばいける」と知らせているのかもしれない。
ヘルボーイに登場する歯の妖精のように、小さなモンスターは大群で行動することが多い。群れの怖さ。一匹倒しても、まだ残りの何十匹、何百匹、何千匹が、食いついてくる。一匹なら心配はないが、群体なら殺されるかもしれないという恐怖を、カール・スティーヴンソンが『Leiningen versus the Ants（ラインニンジェン対アリ）』で書いている。

ブラジル人の役人は、その細い両腕を激しく振り上げ、何かを引っ掻くかのように腫れあがった指を振り回した。そして叫んだ。「ラインニンジェン！　頭がおかしくなったのか？　あいつらは戦って勝てる相手じゃない。超自然の力だ！　災害だ！　幅二マイル、長さ一〇マイルも続く、見渡す限りの蟻、蟻、蟻！　一匹一匹が地獄からの使者だ。あんたが唾を三回飛ばす間に、やつらは水牛を一頭骨まで食い尽くす。今すぐ退くんだ。さもないと、あんたの農園のように、丸裸にされて骨しか残らないぞ」。

小さな痛みも、何千も食らえば恐ろしい。何千回も噛まれて迎える死。
結論。巨大でも、顕微鏡でなければ見えないほど小さくても、読者を震え上がらせることはできる。

第一五章 能力とパワー

「その力も能力も、常人のそれを遥かに超える」。懐かしのテレビ番組「スーパーマン」(一九五二―一九五八)のオープニングのナレーションで語られるこの一言が、まさにモンスターと普通の人を分かつものの正体なのかもしれない。「このモンスターには、どんなことができるのか」という問いに答えを出すときがきた。

ここで再び、RPGの世界にヒントを求めてみよう。ゲイリー・ガイギャックスが書いた『Advanced Dungeons & Dragons Master's Guide(上級編ダンジョンズ&ドラゴンズ マスターの手引き)』★01から引用する。

別表D:下層界のクリーチャーのランダム生成
特殊攻撃能力

1. 能力吸収
2. 体力吸収(冷属性)
3. ガス放出または飛び道具
4. 熱放出
5. ライフレベル吸収
6. 呪文のような能力
7. 呪文の使用
8. 召喚/門

思わず八面ダイスを手に取ったきみ(ゲーマーじゃない人、八面ダイスなんていうものが実在するのだよ)、「ダンジョンズ&ドラゴンズ」のダンジョン・マスターですら、クリーチャーのランダム生成なんて手を出さない方がいいルールだったことを思い出してほしい。それは置いておくとして、ゲイリー・ガイギャックスが一九七九年に思いついた八つの項目に注目してみよう。思いつくことをいくらでも付け足したくなるような、単純なリストだ。「能力吸収」や「体力吸収」「ライフレベル吸収」というのは、ゲーム運用のための特別な意味を与えられたゲーム用語だが、要するに相手のパワーやエネルギーを吸い取って弱らせてしまうということだ。「ガス放出」と聞くとパグ犬の飼い主やタコ・ベル［お豆豊富なテックス・メックス系ファストフード］で食事した人が「屁?」と思うかもしれないが、実は神経ガスのようなものかもしれない。「飛び道具」と言ったら、刃物や火球を射出して一定の距離からモンスターを攻撃できる武器だ。このリストに、きみなら何を付け加えるだろうか。熱放出というのは、周囲に影響するほどの高熱で接触した者を燃やしてしまうのだろうか。そして、このモンスターは魔法が存在する世界から来たのだろうか。「呪文のような能力」があって「呪文の使用」ができるなら、それは魔法使いと言っていい。最後に「召喚／門」ということは、このモンスターはどこか別の場所や次元から、自分と同じような、いや、自分より恐ろしいモンスターを呼び出す能力を持っていることを示唆している。

きみが小説や脚本を書いており、物語の世界を構築しているとする。しつこいが、モンスター創作のためにRPGの運用規則をわざわざ作ってみろと言っているわけではない。それでもRPGから得られる閃きはいろいろとあるし、何より楽しい。そしてモンスターの特殊能力と弱点のバランスを考えるとき、役に立つ。

「時間からの影」でH・P・ラヴクラフトは、旧支配者《古きもの》たちの人間離れした特性を端的に教えてくれる。

——様々な断片的情報を総合すると、この半ば腫瘍のごとき、しかも完全に異質な古の種族——

が、私を悩ませる恐怖の正体だった。今を去ること六億年も前に、想像もできないような遥か遠くからやってきて、地球とそれ以外の三つの太陽系の惑星を支配した異星生物。我々の認識する物質という概念で考えると、この種族は部分的に物質ですらなかった。意識も感覚の伝達手段も、地球上の生物とは大きく異なっていた。たとえばこの種族は視覚を持っておらず、その奇妙な心象風景は視覚的パターンによらない印象《イメージ》によって形成されていた。

しかしながら、宇宙の中で通常の物質が存在する場所にいるときは、道具を使うこともできた。さらに、奇妙な形状ではあるが住居も必要とした。この種族は、どんな物質的障壁も通り抜ける感覚を持っているが、体ごと通過することはできない。さらに、ある種の電気エネルギーを浴びせることで完全に破壊することもできた。翼や、それに類する手段を一切持っているようには見えないが、浮遊飛行が可能だった。そして、そのような精神の構造のお陰で、大いなる種族の思念の力に影響されずに済むのだった。

「古きもの」の能力をゲイリー・ガイギャックス風に簡単なリストにまとめてみよう。

▼宇宙を移動する能力

▼固体の障害物に邪魔されない知覚
▼部分的に肉体を持たない
▼道具やテクノロジーを理解し使用できる
▼飛行能力
▼思念操作を受けない

モンスターを創造しようという人は、誰でもこのようなリストを作るべきだ。このリストではRPGでプレイするのに必要な要素が不足しているが、それは問題ではない。物語を創作するために、ゲーム運用の規則は必要ない。それでもこのようなリストは役に立つし、必要ならもっと詳細なものを作ってもいい。リストを考案するときに覚えておくといいのは、モンスターの能力を普通の人間または普通の動物と比較すると、バランスがとりやすくなるということだ。

前の章では「Primeval Thule」のネブ星の化け物の能力を分析したが、それをゲーム用ではなく、普通の物語用に描写し直してみよう。

▼ネブ星の化け物は、物質界から非物質界に移動できる。他のクリーチャーと一緒に移動できる場合もある。非物質として存在できるのは五分間だけ。時間が切れると物質界に戻らなければ

ばならない。非物質界に移動しない限り、非物質化の能力は二回連続して使うことができない。
▼触手を使って相手の生命力をゆっくりと吸い取る能力を持ち、健常な力と不屈な精神を搾り取る。
▼奇妙な光を発生させて、相手を催眠状態に陥らせることができる。
▼力は平均的な人間の二倍で、苦もなく泳いだり登ることができる。
▼一日一回だけ瞬間移動できる。肉体を消滅させ、認識した場所に再現できる。
▼一日に三回、姿をぼかすことができる。その間は位置が特定しにくくなるだけでなく、相手を異次元にくぎ付けにもできる。魔法や呪文を解除する力もある。

ここまで書けば、基本的な能力のリストもかなり手の込んだものになる。ネブ星の化け物は、相手を催眠状態にし、生命力を吸収できる触手でがんじがらめにして、さらに異次元に連れ去ってそこに足止めし、元の次元に戻って他の獲物を探す。ある種の食料貯蔵庫に獲物を貯めこみ、極めて異常な方法で生気を吸い出して、食う。

このモンスターの能力が一日に一回とか三回しか使えないのは、ゲーム的なバランスのために必要だからだが、きみの場合はそれが物語のバランスになる。これは弱点というよりモンスターが持つ特殊な能力の上限で、これを設けないとヒーローの勝ち目がなくなってしまう。このように能力の上限を設けるときは、それがどういう理由で説明され得るか考えて、その上限がヒーローにとってどのように有利になり、物語がより面白くなるか考えよう。

竜は息を吐くたびに火を噴くのだろうか、それとも何らかの方法で燃料補給が必要なのだろうか。竜が実在しない以上、正解はない。きみが気に入った答え、物語の役に立つ答えを見つければいいのだが、一貫性が大事だということは忘れないように。第六章で火炎放射八連発を見せつけた竜が、第二〇章では二発も撃てないのだとしたら、そこには理由があるはずだ。

同様に、それが「すごく強いモンスター」だとしたら、どれほど「すごく」強いのか。「すごく賢い」のは、どれほど賢いのか。正確に記述する必要はないが、少なくとも自分でわかるように明確に書き留めておいた方がいい。もしかしたら、悪役(またはヒーロー)に昇格させてもいいほど賢いのかもしれない。飛べるというなら、どれほど高く速く飛べるのか。飛ぶ能力に限界はあるのか。H・P・ラヴクラフトは「闇に囁くもの」で、飛行能力の限界をこのように書いている。


恒星間に広がる宇宙でも死ぬことがないそいつらは、不器用だが強力な翼をもって天空を満たすエーテルに妨害されずに飛び回ることができましたが、その翼も地球上で意のままに飛ぶにはさほど役に立たなかったのですよ。

不器用だが強力な翼によって宇宙を飛行できても、大気圏内を飛ぶのは苦手。繰り返しになるが、これは弱点というより能力の限界だ。

先ほど読んだ「古きもの」を描写した「時間からの影」の引用では、登場するモンスターの感覚上の制限が「この種族は視覚を持っておらず、その奇妙な心象風景は視覚的パターンによらない印象《イメージ》によって形成され」と記されていた。きみが創作するモンスターは暗闇で見えるのか。サメのように血の匂いを嗅ぎ分けるのか。モンスターの感覚を制限すれば、登場人物の生存の可能性を高めることができるが、他の能力とのバランスが崩れないように気をつけよう。『ジュラシック・パーク』のティラノサウルスを思い出してほしい。動かない獲物は見えない。なら匂いは？　音は？　きみが創作するモンスターは、五感が全部あるのかもしれないし、部分的にしかないのかもしれない。あるいは五感以外の感覚があるのかも。コウモリや鯨には、ソナーの働きをする器官が備わっている。サメはその側線で、水中の電気信号を感じることができる。それが実際にどのように感じられるのか、私たちには知る由もないが、モンスターの話を書くのだから、知らなかったら想像力を駆使すればいいのだ！

もう一度、ネブ星の化け物に話を戻そう。特殊能力の中に、生命力を吸い取る触手のように、物理的な特徴を伴って描写されるものがある。生命力を吸い取るのは手でも牙でも、それ以外の体の突起でもいいのだが、敢えての触手だ。

生物には、獲物を捕獲して食べる行為に特化した外見を持つものが多い。だから、モンスターの外見を考えるときに、自然界にヒントを求めるのは有効なアイデアだ。馬は草を食むために手を使う必要がないが、地表に届く長い首と草を磨り潰す歯が必要だ。触手を使えば獲物を絞め殺したり、動きを封じるのも容易い。そのことはイカがよく知っている。ある意味全身が触手である蛇もだ。

外見的な形状とその機能が一致していれば、そのモンスターがより真実味、つまり〈もっともらしさ〉を持つ。

だからと言って、すべてのモンスターは現実世界に根差していなければならないかというと、そんなことはない。事実、最も恐ろしいモンスターの中には、私たちが知っている地球上の生物のどれともまったく似ても似つかないから怖いというものもいる。「狂気の山脈にて」でH・P・ラヴクラフトは、実在の動物の特徴を使って恐ろしいショゴスを描写している。

旧支配者《古きもの》たちが使う催眠術の力によって支配されてきたショゴスは、その強力な可塑性によって、一時的に自らの体に便利な肢と器官を形成した。しかし現在となっては、自らの形を意のままに変えるその可塑性は独自の判断によって、かつて古きものたちによって植えつけられた記憶に基いてその形状を真似るために、行使された。どうやらショゴスは、

不安定ながらも脳を発達させたようだ。その強固な決意の裏に、古きものたちの意思が反響して聞きとれるが、必ずしもその声に従うとは限らなかった。彫り刻まれたショゴスの姿を目にしたダンフォースと私の心は、恐怖と嫌悪感で溢れた。普段は特定の形状を持たないこの生物は、泡が集まって凝固したかのように見える粘性の高い物質でできている。球体のときには平均して直径一五呎《フィート》ほどの大きさになった。しかしその形状も体積も常に変化し続けた。一時的に形成された器官が突き出したり、かつて仕えていた主人たちの視覚、聴覚、そして発話器官を外見的に真似た器官が、自発的に、あるいはかつて受けた古きものたちの思念によって形成されるのだった。

このモンスターは、どんな形にもなり得るが、結局不定形のブヨブヨに落ち着く。しかしラヴクラフトは、読者の理解を超えた、ましてや戦うことなど考えられないようなモンスターを愛した。戦うどころか、存在するだけで近くにい

モンスター創作練習問題

知能は?

そのモンスターの知能は、何と比較できるだろう。平均的な人間程度の知恵があるなら悪役になる資格有りだが、それほど賢いのだろうか。狡猾で熟練した狩人である狼ほどの知能があるのか。それとも、巨大なアメーバのように知性の欠片もないのか。この問題に答えることで、モンスターの能力の限界も明らかになる。どれほどの知能を持たせるかによって、次の質問「行動の動機は?」の答えにも影響がおよぶ。

る者が発狂するようなモンスター。出会ったら最後、せめてそいつに発見されないことを祈るしかない。そうすれば、ぶつぶつと独り言を発し続けながら、柔らかい素材で四方の壁を覆われた部屋に拘禁されながら生き延びることができるだろう。

ありのままで、まさにそこにいるだけで「力」になるというモンスターもいるのだ。

★01 —— Advanced Dungeons & Dragons Dungeon Master's Guide, TSR, Inc., 1979.

第一六章——弱点

何週間にも渡って、使える武器はすべて投入された。核兵器から妥協案、果ては「お願い、殺さないで」というプラカード。人類が考案し得る最も毒性の高い神経ガス。すべてだ。そして今、地球最後の人間が、怒りに猛るズグラスに、生きたまま食われた。モンスターはその人をしっかり噛んで飲みこみ、げっぷを漏らして横になり、昼寝を始めたのだった。

こうして、一切弱点のない最強のモンスターの物語は幕を閉じた。

こういう筋で書くのは難しいし、書けてもあまり喜ばれないかもしれない。試してみたいなら止めないが、この章は主人公たちに戦って勝つチャンスをあげたい作者に読んでほしい。

「Thieves' World(盗賊たちの世界)」シリーズの共同執筆者リン・アビーは、こう言っている。「最後に勝つのがモンスターだと作者が意図しているのでない限り、モンスターには登場人物たちが利用できる弱点が必要です」。

つまり、そのモンスターを殺すには、排除するには何をすればいいのかということだ。

モンスターが持つ特別な能力の限界は、あくまで能力の一部にすぎないが、弱点は主人公たちが利用してそのモンスターを傷つけたり、殺すためのものだ。きみが吸血鬼ものを書いているとする。その吸血鬼は夜行性動物の特性を持ち、超人的な力と催眠能力もあるとする。しかし、昼間は起きてこられず、他人の家には招き入れられないと入れない。これは理解し得る弱点だ。この弱点を突けば、傷つけるどころか吸血鬼を殺せるかもしれない。吸血鬼ジャンルの歴史は長いので、私たちは吸血鬼が苦手とするものを良く知っている。

▼ニンニク
▼十字架
▼心臓を木の杭で貫かれる
▼火をつけて燃やされる
▼溺れさせる
▼首を切り落とされる

▼日光(もっとも、ブラム・ストーカーが書いたドラキュラは、力が減退はするが昼間にも活動した)

作家たちが既存の弱点に、新しい弱点を追加したり削除してきたのは、興味深いことだ。リン・アビーの助言は「あなたの物語に登場するモンスターが、皆が知っているような種類なら、つまり誰でもその弱点を知っているような典型的なモンスターなら、作者の仕事はその固定観念を捻ること。たとえば、その吸血鬼はどんな光にも弱いのか、それとも日の光だけが苦手なのか、ということを考えるのです」。

私たちが認識しているゾンビというモンスターの基本型は、ジョージ・A・ロメロの『ナイト・オブ・ザ・リビングデッド』から生み出された。たった一本の映画から伝説が生まれ、しかもロメロの撮った一連のゾンビ映画の枠も超えて進化したという、興味深い例だ。動きが鈍いロメロ映画のゾンビこそが正当と考えるファンと、近年のゾンビ映画に登場するいわゆる「ファスト・ゾンビ」が正しいとするファンの間には議論があるが、ほとんどのゾンビものは、脳を破壊すればゾンビを葬れるという同意に基いているようだ。どのような理由によって、脳または脳の中にある何かがゾンビを動かすのかという説明は、一つではない。動きの鈍さや、身体機能の低さは能力の限界だが、脳は弱点だ。ゾンビ伝説の発展には目を見張るものがある。AMC制作の「ウォーキング・デッド」(二〇一〇－二〇二二)の脚本会議で考案された脳の破壊の方法の数々。考案する立場に置かれたらと考えると、脳が真っ白になる。

昔からよく使われている手を使って新しい地平を開拓したいというなら、ファンタジー、SF、そしてホラーの作家たちは、想像力を駆使して暗い領域に踏みこむ必要がある。ビデオゲーム『デッドスペース』のクリエイターたちは、まさに暗い領域に分け入ってネクロモーフという、四肢も頭も切り離さないと殺せない生ける屍を考案した。ネクロモーフの頭を撃ち抜いても駄目。文字どおり八つ裂きにしなければ始末できない。しぶとく死のうとしないこの化け物たちは、異様でしかない。この世のどんなものでも殺せる方法で攻撃されても死なないモンスター。主人公(プレイヤー)は、八つ裂きという極めて難易度の高い「弱点」を何とか利用するために、知力を尽くす。『デッドスペース』の場合、何を撃つと何が起きるのかすぐにはわからないように作られているのだが、そのような状況に主人公たちを追いこんで、モンスターのパワーや弱点を理解させながら倒すという方法論には、リン・アビーも賛成だ。「主人公が勝ったのは運が良かったからではなくて、頭脳を使って機転を利かせたからだというように書けば、読者は最高に満足しますよ」。

なるほど。どうやって?

「巧くやるためには、作者がモンスターの欠点を知っていて、主人公がそれをどう利用するかも知っていなければ」と、アビーは続ける。「モンスターの話を書くなら、私なら結果から逆に作った方がいいとすら言っちゃいますね。モンスターの最後から始めます。そこから倒すために必要な知識や道具を分解して、主人公がそれを見つけたり理解するようにプロットを組んでいきます」。

もっともらしさという重要なポイントを外さないために、モンスターの弱点はその能力や外見と同じくらい注意深く組み立てよう。モンスターの弱点は物語の解決部(もしモンスターが全編に出ないなら、少なくともモンスターが出る部分の解決部)に直接関わる重要なものなので、能力や外見以上に注意を払う必要があるかもしれない。

映画『サイン』(二〇〇二)に登場した宇宙人にも弱点はあったが、もっともらしいかというと際どいものだった。水で火傷を負う宇宙人。超光速で、しかも大人数の軍隊を地球に送りこみ、偽装テクノロジーすら持っている彼らが、七〇%は水という惑星を侵略しようと考えたのは、なぜ？　しかも裸で……

モンスターの弱点は身体的なものとは限らない。「どうやって殺すか」だけにこだわる必要もない。頭を切断するか撃ち殺すか思案する代わりに、理解し合って友好関係を結び、求めているものを与えるのが正解だと主人公が思う話だって構わない。モンスターとの意思の疎通は難しいかもしれないが、克服できればモンスターは同情に価する悪役になるのかもしれないし、少なくとも脅威的な存在ではなくなるわけだ。

弱点によって怪物的な正体を現すという線で考えてみるのもいい。私たちの中に紛れて潜むモンスター。ある一点を除いては見分けがつかない……それが弱点。「民話に登場するようなモンスターは、普通の人たちに対して不利になるような特徴を持っており、それによって日常の中に危険が潜んでいると人々に伝える役回りが多いですね」と、「吸血鬼サン・ジェルマン伯爵」シリーズのチェルシー・クィン・ヤーブローが語る。「東欧では、魔女には影がないと考えられていました。年老いた女性に影がなかったら、その人は魔女だということです。民話に登場する怪物は、不適切なことをして人々に何か変だと訝しく思われることが多いですね」。

「眠りの壁の彼方」でH・P・ラヴクラフトは、ある人間の弱さと、その人に憑依した宇宙的存在の弱さを融合させて、人間の肉体そのものをモンスターの弱点とした。

「ジョー・スレイターは死んだ」という魂を凍りつかせるような、眠りの壁の向こうから来た存在の声が聴こえた。私の開かれた眼は、恐怖と背中合わせの好奇心から苦痛のソファに向けられた。しかしスレイターの青い目は冷静に見つめ続けた。その表情は知性の輝きを失っていなかった。「この男は死んだ方がいいのだ。宇宙から来た者の知性を受け入れる器ではなかったのだ。地球外から来た者が地球上で生活できるために必要な調節を、彼の体全体が受けつけない。彼は人間的というより動物的すぎた。もっとも、この男の欠陥のお陰であなたは私を見つけたわけだが、宇宙の魂と地球の魂はそもそも出会うべきではなかったのだ。地球の時間で四二年もの間、この男は日々私を苦しめる牢獄だった」。

人の姿を纏って、または動物や物に姿を変えて日常の中に紛れこんでいるモンスターでも、もしかすると特徴的な匂いを発しているかもしれない。アルジャーノン・ブラックウッドの『ウェンディゴ』はそうだった。あるいは、人に擬態したモンスターはどことなく人間離れしたところがあるのかもしれない。周囲の人と較べるとどこか不自然。そう「ダンウィッチの怪」に登場する男児のように。

ウィルバーの話し方にはこの土地に特有な訛りがなく、しかも彼と同じ三歳か四歳くらいの子供なら自慢するようなたどたどしさにも煩わされていなかった。よく喋る子供ではなかったが、口を開けばその言葉は、ダンウィッチの住民が誰も持っていないような不思議な捉えどころのなさを感じさせた。その違和感は言葉そのものにあるのではなかった。成句が一つ変だったというのでもなかった。強いて言えば抑揚に違和感を感じさせる何かがあった。あるいは発話に使われる器官が違和感の正体とも感じられた。その子供じみていない顔つきも人目を引いた。母親や祖父と同じく顎が見えないほど小さかったが、がっしりと大人びた鼻と、ラテン的と言ってもいいような暗く大きな瞳が、大人びた表情と、あたかも自然を超越したような知性的な雰囲気を作り出していた。そのような素晴らしい表情を持ってはいたが、彼は醜かった。厚い唇は山羊というか、動物的ですらあった。黄色味がかって毛穴の目立つ皮膚。縮れてごわごわした毛髪。そして奇妙に長い耳。やがてその子は母親や祖父以上に村人から徹底的に嫌われるようになった。彼に関する無責任な噂話には、常に老ウェイトリーと彼が使ったとされる古い魔術という尾鰭がついた。また、彼が環状列石の中心で、開いた大きな本を眼前に掲げ、「ヨグ・ソトース！」と金切声で叫んだときに山全体が揺れたとも噂された。どの犬もウィルバーを嫌悪したので、吠える犬から身を守る術を考えなければならないほどだった」。

この男の子の中にどのような邪悪が宿っているのかは、特に秘密ではない。彼が持って生まれた違和感を犬は感じており、町の人もどこか「動物的」な男児の様子に気づいている。人々はこの男児を疎外するが、その理由を知らない。知らないが何かを感じるのだ。これはモンスターにも操れない。この手の、実態がなく薄っすらと感じられる程度の弱点には、思いつく限り無限の可能性がある。

覚えておいてほしいのだが、モンスターにとっていいものはヒーローにとってもいいものなのだ。ブレンダン・デニーンの言葉を借りれば、こういうことだ。「善玉でも悪玉でも、天使でも怪物でも、すべてのキャラクターには弱点が必要だ。弱みと言ってもいい。つかみどころのない弱みであるほど、キャラクターの強度は上がる。感情的な弱みや心理的な弱点を抱えたモンスター!

私が書く本で最高に面白いのは、そういうのが出てくるやつだ」。

感情的な弱味と言えば、ご存知キング・コングの幕引きの台詞だ。「野獣が美女に殺されたな」。コングはアン・ダロウを独り占めにしたかったのだろうか。それともコングは、敵と思われる者たち(島での船の乗組員、ニューヨークでの警察や飛行機)から彼女を守ろうとしたのだろうか。あるいは、夜食にとっておこうと考えただけだろうか。動機が何であったとしても、金髪の美女に魅せられたことが、コングの命取りだった。

つまりコングも、そこらへんにいる人と何も変わらないのだ。

モンスター創作練習問題

ダメージを与えられる?

この章は丸ごとこの問いの答えになっているので、ヒントを探してみてほしい。この問題集は、ざっくりとしたアイデアを煮詰めていく助けになるようにと作ったわけだが、ここでは普通思いつかないような弱点や、予想を裏切るような弱点を考えてみよう。たとえば水の惑星地球を侵略に来たモンスターたちは……水に弱かったとか、そいつを殺す唯一の手段は、自分自身の魂を覗かせることだとか。自分の魂を覗かせるのは簡単ではなさそうだが、その話は面白そうだ!

第一七章 描写

サメに関する知識も体験もない人がサメに遭遇したら、その人にとってサメはモンスター以外の何ものでもないという話を前の章でしたが、虎でも同じ。虎というものを見たことも聞いたこともないとする。角を曲がるとそこにはベンガルトラの成獣が一頭。きみは驚愕する。こいつは一体何だ？ 牙や爪、力強い筋肉構造、射るような視線。これはきっと危険な捕食生物に違いない。他の動物と同様、人間もこのような場面に遭遇したら、闘争・逃走反応が起きる。捕食動物は一目見ればわかる。そいつが何を考えながら、どういう目で見てくるかもわかる。私たちは本能的に反応しつつ、一方で観察もしている。

虎の身体は美しくもある。テレビや動物園で虎を見れば、その上品とも言える身のこなしや、毛皮の模様の美しさには惚れ惚れする。成獣に構ってもらう子どもの虎を見ると、飼いネコとの類似点も見えてくる。観察していると次第に情報が蓄積される。喉を鳴らす虎は、吠える虎より恐くない。

ここで質問。モンスターは醜くなければいけないのだろうか。

答えは「いいえ」だ。もちろん醜くなくていい。美しくしようが醜くしようが、異質でも馴染みがあるものでも、きみ次第だ。かわいい小鳥でも、アルフレッド・ヒッチコックの手にかかれば『鳥』の殺人鳥の群れに仲間入りだ。

ここで、ホリー・ブラックの『The Coldest Girl in Coldtown(コールドタウンで一番冷たい吸血少女)』を読んでみよう。


その問題は、実は最初からあった。人はかわいいものに弱い。たとえそれが人を殺したり食べるものであっても、かわいいものを嫌いにはなれないのだ。


「かわいい」モンスターでも、死をもたらすことに変わりはない。ホメロスの昔にはセイレーンがいた。ドラキュラの「花嫁」も魅惑的だ。新しいところでは、アイラ・レヴィンの『ステップフォードの妻たち』に登場したロボット女性もある。

モンスターはかわいくて構わないが、逆にどんなに醜くてもいい。児童文学の著者で編集者でもあるニナ・ヘスは、べとべとした怪物の方が怖いと考えている。「毛が生えているモンスターは、仲良くなれちゃいそうな気がする。かわいくてちょっと変わったぬいぐるみとして商品化されそう」。

毛の生えた、ちょっと変わったベンガルトラに一噛みされても、そう思う？

かわいい、べとべと、毛むくじゃら、醜いといった言葉は単純だが、モンスターの描写に使う言葉の選択は、何を書くのとも同じで極めて重要だ。たとえそれが、ラヴクラフトの「名状しがたきもの」に登場するモンスターのように、描写不可能であっても。

あっちにもこっちも……ゼラチンのようなものが……どろどろしながらも形もがあった。記憶力を尽くしても思い出せないような、幾千もの恐怖の形。目があった。傷ついた目もあった。地獄の穴だ。嵐のような渦巻き。あれ以上に忌み嫌うべきものなど、あってたまるものか。

英語の語彙［日本語でも］に己の外見を描写する言葉はないとモンスターが言い張るのであれば、作者は最善を尽くして書くしかない。明快な表現を避けてばかりいるとずるをしているように見えるので、注意深く、あまり多用しないようにしよう。

フィクションを書く者が誰でも受けるアドバイスに「語るな、見せろ」というのがあるが、これはつまりどういうことなのだろう。

見せるか、語るか

映画やゲームと違って、散文で書かれる小説等では、モンスターの外見や身体的特徴を丁寧に描写しないわけにはいかない。そのモンスターが描写してほしいと思っているかどうかは、関係ない。映画では苦労せずにできることが、小説では生き生きとした文字による表現を必要とする。

わかっていると思うが「モンスターが飛び出した。恐ろしいモンスターだった」とは間違っても書いてはいけない。読者にただ「恐ろしい」と感想を語るのではなくて、慎重に選んだ言葉で描写することによって、何がどう怖いかを、読者にアクションで見せるのだ。

読者に、そのモンスターを肌で感じる体験をさせてやろう。いや無理矢理にでもしてもらうのだ。モンスターの描写は避けられないわけだが、本当に読者の心をつかむのは、そのモンスターが実際に行なう動作や行為、そしてそれが人に及ぼす影響の方だ。

たとえば「アーロンは、モンスターを退けた」と書いたとしたら、そんなものはぴくりとも面白くない。代わりに「退けた」ときに五感を刺激した諸々を書こう。どんな感覚でもだ。私がメル・オドムと共同で書いた短編小説「The Haunting of Dragon's Cliff（竜の絶壁での憑依）」からの引用を読んでみてほしい。

振り下ろされた怪物の手が、アーロンの左肩を掴んだ。鋲が打たれた防具が肩の肉に食いこむのをアーロンは感じた。防具の下で鎖骨が歪むのがわかった。折れる！　アーロンは力いっぱい怪物の股間を蹴り上げた。分厚いブーツ越しでも命中の手ごたえが感じられた。しかし、この巨大なステーブルハンドの反応は予想外だった。どんな男でも間違いなくダメージを与えられる蹴りのはずだった。たとえどんなに野蛮で剛力の大男でもだ。あの蹴りを食らえば、誰だってアヒイと甲高い声を上げるか、ウウと唸るはずだ。しかし巨人は溜息を一つ吐いただけだった。膝をつくかわりにそいつは両肩を掴んでアーロンを持ち上げた。痛みに悶絶する代わりに、このステーブルハンドが浮かべた表情は悲しみだった。敗北。白い目には表情がなく、顔も落胆で弛んだかのようだった。

アーロンは巨人の顔に拳を叩きつけた。何かが壊れる感触。頬骨を砕いた。しかしステーブルハンドはぴくりとも動かなかった。代わりに、余った手をアーロンの背中に回し、自分の大きく厚い胸板に押しつけた。悪臭を発するやつの体は気味の悪い粘液に覆われていた。アーロンは、少なくとも粘液が口に入らないようにと体を引き離した。

強く五感に訴える例が、アン・マキャフリイの書いたファンタジーの古典『竜の戦士』にも見られるので、読んでみよう。★01

レサは足音を立てて階段を駆け下りると、見張りフェルの方へと走った。見張りフェルは憐れな声を上げ、眩しい昼の光に目を瞬かせた。この竜のひどい口臭を気にする様子もなく、レサはその鱗に覆われた頭を抱き寄せ、両耳と、そして両目の上の隆起を掻くように撫でた。見張りフェルの長い体は嬉しさに震えた。飛べないように羽切りされた翼がさらさらと音を立てた。レサがどういう人間で、彼女が大切にしているのが何かを知っているのは、この見張りフェルだけだった。そしてこの見張りフェルは、広いパーンの中でもレサが信用している唯一の生き物だった。あの日の夜明け前、何人もの命を奪ってきた血に飢えた剣から逃れて、闇雲にあの悪臭立ちこめる竜の巣に避難して以来ずっと。

マキャフリイは、この場面を描写する視点の持ち主の感情的な反応と愛着を強調しながら、見張りフェルを描写している。レサの記憶、感覚、そして小説の中で描写される別の場所や時での体験を強調しながら。この竜の声が「憐れ」に聞こえるのは、彼女が主観的にそう解釈したからだ。瞬きに関する描写で時間的な情報が伝わり、恐らくこのモンスターが眩しい光に敏感なのも伝わる。「ひどい口臭を気にする様子もなく」という描写からは、二つのことがわかる。まず、主人公は口の臭いも気にならないほど、このモンスターのことが好きだということ。そして、このモンスターの口は臭いということだ。見張りフェルに鱗があるという事実は、レサが触れるから、というかハグするから、読者に伝わる。両目の上に隆起があるのも、彼女が引っ掻くからわかるのだ。この描写ではモンスターが人間であるかのように描写されている。頭を抱かれたり目の上を引っ掻かれたりした見張りフェルは、ペットの動物であるかのように反応する。ここで、体が長いことと、翼が羽切りされているというその外見が描写される。続いて作者は、この人間とモンスターの関係、その特別な絆、そして痛々しい過去を明らかにする。

何よりも、このキャラクターの反応を見れば、この見張りフェルが少なくともその場に限っては恐るべき怪物でないことがわかる。

次は、言葉一つで、名も知れぬモンスターの恐ろしい印象を伝えている文章を、読んでみよう。

自分にそう問うてみても、返ってくる答えといえば、目に映る不気味に鮮やかなあの姿だけだった。海の深みのことを考えるだけで、今この瞬間に、あの名も知れぬものたちが、どろどろとした床の上でのたうち這い回っているかと思うと、がくがく震えずにはいられない。それらが太古の石の偶像を礼拝する様を、海中の花崗岩でできたオベリスクに忌み

嫌うべき自分たちの外見を彫りこむその様を思うと。

これは、H・P・ラヴクラフトの短編「ダゴン」の一節だが、ここで注目したい言葉は「がくがく震える」だ。それは、深海からきた名も無いモンスターに対する主人公の身体的な反応なのだ。一部書き直した次の文章と較べて観てほしい。

自分にそう問うてみても、返ってくる答といえば、目に映る不気味に鮮やかなあの姿だけだった。海の深みのことを考えるだけで、今この瞬間に、あの名も知らぬものたちが、どろどろとした床の上でのたうち這い回っているかと思うと、恐怖を感じずにはいられない。それらが太古の石の偶像を礼拝する様を、海中の花崗岩でできたオベリスクに自分たちの忌み嫌うべき外見を彫りこむその様を思うと。

「がくがく震えずに」を「恐怖を感じずに」に変えただけ。他は一語も変えていないが、どことなくよそよそしく、距離すら感じてしまうと私は思う。

モンスターの恐ろしさを描写するときに、モンスターそのものではなくて、モンスターがいなくなった後を描写すると、より効果的なこともある。部屋に入ると床には骨が四散し、天井は蜘蛛の巣だらけ。「ここに何かがいた……やばい」と思うだろう。モンスターの恐ろしい仕業の跡を目にしているわけだが、どこに行った？　もしかしたら、どこにも行っていないのかもしれない！

「ウォーキング・デッド」の第一話では、リックが病院で目を覚ましてから最初のゾンビに会うまで、かなりの時間が経過する。血塗られた壁に挟まれた廊下を走り、体の部位が欠損した死体や、放棄された軍の駐屯地、事故で壊れた自動車を見ながら、誰もいない街路を抜ける。昏睡状態に陥っている間に、何があったのかリックにはわからないが、ともかく、何かとてつもなく恐ろしいことが起きているのだ。

視点

一人称［私］でも三人称［彼女、彼］でも構わない。何かを書くときは、それが誰の視点で見た世界なのか、明確にしてぶれないようにしよう。一人称または三人称に限定した方が効果的だと考える理由は、それがどのような物語でも、必ず誰かの感情を通し、その人の歴史や体験を通して、その人の感覚によって認知された世界を描いているからだ。

モンスターが登場する話を読むとき、私たちはモンスターに遭遇する人の体験を体験しているのだ。その人というフィルターを通して加工されたモンスターが、物語に命を吹きこむ。その人は何を考え、感じているのだろうか。恐れか怒りか。ある状況に遭遇したとき、その人は言葉にできないような感情で、どのように反応するのだろうか。

ここで、重要な質問。物語の視点を担うその人は、何を知っていて、何を知らないのか。『ジョーズ』の場合、警察署長と海洋生物学者とサメハンターが船出するときには、相手が巨大な人食いザメだということを全員知っている。一方、物語の発端に登場する若い女性は、怪物魚が海で泳いでいることを知らない。ビーチパーティの後、ちょっと裸で一泳ぎと思ったところで、ドーン！　見えない何かが海の底から彼女を襲う。

船が出るまでには、読者がすでに知っていることを、登場人物たちも遅ればせながら知ることになる。ここで『ジョーズ』の物語は、モンスター話につきものの〈後戻りできない点〉に達したのだ。一度この点を超えた『ジョーズ』は、モンスターものではなく、極めて『白鯨』的な冒険物語になる。主人公たちは敵の正体を知り、戦いに出かけるのだ。

頂上捕食者である人間は、動物を相手にしたときには、オブジェクト指向、または目的指向になりがちだ。だから、自分たちを襲って食べているのが何かわからないという状況に較べると、その動物を狩りに行くときにはパニックが発生する余地が少ない。登場人物の態度は「どうも厄介なサメが一匹いるから、何とかしたい。XとYとZを集めて解決しよう」というモードに変わるのだ。もちろんサメの怖さは変わらない。正体がバレたとたんに『ジョーズ』のサメが鱒《マス》になるわけではない。しかしこの場合、緊張感、時間のなさ、そして些細なミスの代償の大きさを知っていることからくる怖さに、未知の恐怖が置き換えられる。やばくなったら泳いで逃げられるか？　真っ向から立ち向かうのか？　どうする？　どうすればいい？　主人公たちと同時に読者も考えるのだ。

さて、暗闇で何やら音が聞こえるとする。物語の視点を担う登場人物は、それが何か知らない。それはリスかもしれないが、リスは怖くない。でも、もしかしたらそれは、銀河の中心からやってきたラヴクラフト的な恐怖かもしれない。ならば、ちゃんと怖がらなければ。

多くのモンスター話は、キャラクターの視点をぶれることなく維持し、読者が知っていること、見えることをコントロールしながら、知らない、見えないという恐怖を利用する。キャラクターが知りうるモンスターに関する情報を意図的に制限したり、モンスターを意図的に隠す（あるいは映画『ジョーズ』のように、機械仕掛けのサメがうまく動かないので、何とかなるようにやむを得ず隠す）。見せてもらえない何かの方が、詳細に描写されるものより恐ろしい。その効果のほどは、知ってのとおりだ。

『ブレア・ウィッチ・プロジェクト』は最恐映画の一本だが、あれがなぜ怖いかというと、モンスターがどこから来た何なのかという正体が常に明かされず、観客は三人の主人公が見聞きするものしか見せてもらえないからだ。つまり観客もどことも知れぬ場所で、三人と一緒に迷い続けるのだ。観客は一度もモンスターを見ない。見えるのは、それが近くにいるという痕跡と、それがいることが登場人物に及ぼす影響だけだ。

映画の中で、三人のうちの一人が突然消える。翌朝、残った二人は何かを祀った奇妙なものを見つける。恐らく真夜中に何者かによって、それはテントから怖いほど至近距離に据えつけられたのだ。その中には、行方不明の仲間のシャツの切れ端が入っている。そして畳まれた切れ端を開くと、血のついた人間の歯が入っている。

私に言わせれば、カットして別の場面で抜歯しているモンスターを見せるよりも、こちらの方が断然効果的だ。歯を抜かれる痛みは誰でも知っているので、抜いた方法を想像に委ねた方が痛い。

モンスター創作練習問題

外見は?

リストには一般的な顔つきを項目として載せたが、必ず全部必要というわけではない。たとえば、そのモンスターに鼻がなくても問題なし。洞窟に住む魚には目がないものもいる。あるけど視力がないという意味だ。だから、もし完全な暗闇からやって来たモンスターを創作したいなら、目の欄には「なし」と書いて構わない。

第一四章を読めば、練習問題の「大きさ」の欄は埋められるし、他の物との対比で大きさを表現する方法も考えつく。三階建てほども大きいネアンデルタール人。客車のように巨大なトカゲ。あるいは、風邪のウイルスほどのサイズのロボット等だ。

これはモンスターの体表が、どのようなもので覆われているか考えてみる機会でもある。「毛だらけ」か「ベトベト」か、ここで決着をつけよう。色に関しては、自分に「なぜ?」と聞いてみよう。密林に緑色の昆虫や爬虫類が多いのは、周囲の環境の色に溶けこんでカモフラージュできるからだ。きみのモンスターが眩い青なら、なぜ青? 青いと、自然の環境中でどのように有利に働くのだろうか。それもあくまで「自然」がある場所から来たという前提なのだが。

丈夫な若い男性が、力で圧倒され、拘束され、口をこじ開けられ……彼を傷つけた何かが、闇の中を回りながら残った二人を見つめている。同時に観客も見つめられている。

そして、すべては視点にかかっている。『ブレア・ウィッチ・プロジェクト』は、不安定な手持ちカメラで撮影されたクロースアップで構成される。観客は登場人物の瞳に恐怖を見る。そして声に恐れを聞く。登場人物たちと一緒にそこにいるのに、観客には彼らが見ているものが見えないことすらある。散文でクロースアップを書くのも不可能ではない。震える唇、瞳から零れる涙、声にならない声……詳細な描写にフォーカスを合わせる。そして読者に想像力を総動員してもらうのだ。

★01 —— Anne McCaffrey, *Dragonflight*, Del Rey 1968.（邦訳＝アン・マキャフリイ『竜の戦士』、船戸牧子訳、早川書房、一九八二年、二一一頁）

第一八章——五感

私たちを取り巻く世界は、視覚、聴覚、嗅覚、触覚、味覚という五つの感覚の組み合わせによって把握される。執筆するときは、可能な限り多くの感覚に訴えるように書いて、読書体験に人間味を与えよう。五感は重要だが、逆に特定の感覚に訴えないことによって、不安な予感や心細さ、さらに思いどおりにならない苛立ち等を伝えられ、「怖く書く」助けにもなる。

ピーター・ジャクソン版『キング・コング』(二〇〇五)には、五感の中のある感覚を消してしまうことによって、観客の体験を見事に操る場面がある。映画の音響は過剰なことが多いが、『キング・コング』の巨大昆虫の谷の場面では音楽は消え、台詞も最低限。聞こえる音といえば、巨大昆虫が発している微かな音だけ。この素晴らしく効果的な場面が教えてくれること、それは、登場人物が危険な状況に陥ったときには、気が散るものは一切取り去るといいということだ。

危機に瀕したとき、私たちはある種の視野狭窄に陥る。視覚だけではなく、他の感覚も狭くなってしまう。安全な場所で日常的な会話をしているときは、同時に「先月の車のローン払ったたっけ?」とか「ホットドッグ食いてぇ」と考えているわけだが、巨大サソリに襲われている最中に考えられることは、巨大サソリのことだけだ。神経はサソリに全集中。五感はすべてサソリに対して研ぎ澄まされている。

以降、モンスターとそれぞれの感覚の関係について書いてみた。

どのような外見か

モンスターの外見の描写は、作者にとってはモンスター創作のスタート地点だが、読者にとっては必ずしもそうではない。

「人間はとても視覚的な生物だからね」と、リチャード・ベイカーが言っている。「目に見える情報によって、それに対処することの正確な意味を知る。見えたものが気に入らなかったとしても、少なくともそれは得体の知れない何かではなくなるわけだ。映画でなかなかモンスターの全身を見せてもらえないのは、そういう理由だね。謎という呪文が解けてしまうと、お客さんが自分で勝手に持ちこんでくれた恐ろしい期待感とか悪い予感も、一緒に消えてしまうから」。

モンスターを段階的に見せていく手順については次の章で書くが、モンスターの威容を余すことなく見せる時が訪れたら、持てる描写力を全投入して書こう。H・P・ラヴクラフトが「インスマウスの影」で、どのように深きものどもを描写したか読んでみよう。

一番目立った色は、鼠色がかった緑だったと思う。しかし腹は白かった。体のほとんどはつるつると滑りそうな感じだったが、背中の盛り上がった部分だけは鱗に覆われていた。体つきは人間的と言えなくもなかったが、頭部は魚のそれだった。驚くほど飛び出した目は、瞬き一つしなかった。首の両側にはえらが脈動していた。長い手脚の先には水かきがついていた。後ろ脚だけで跳躍したり、ときには四本脚全部で飛び跳ねた。四肢が四本以上でないことに、私は妙な安心を覚えた。

一見、個人的感想で締めくくった身体的特徴の一覧表といった感じだが、ここで注目したいのは、この描写が視点を担うキャラクターについて語っていることだ。

この例文のように、目の前でどんなに妙なことが起きていても、臨床的な客観性を維持したまま体験できる人もいる。しかし、落ち着いて観察しているからといって、危険なことが起きていないというわけではない。そして、描写されているものが何か異質で恐ろしいものなら、登場人物が対象に対して維持している距離を、読者が想像力で埋めるのだ。水かきがついた長い手で掴みかかられたら、どうしたらいいんだ。

『影との戦い』でアーシュラ・K・ル＝グウィンは、主人公とモンスターの距離を劇的に縮めて、一触即発の危機感を生み出している。★01

その眩く歪な裂け目から、何かが凝固したかのような黒い影が這い出してきた。ぞっとするようなその影は素早く動き、ゲド目がけて攻撃するかのように跳んだ。

この文章は、モンスターの外見には字数を割かず、かわりにモンスターの行動（攻撃するかのように跳ぶ）や、その行動の速さ（素早い）を描写する。続く文章を読んでみよう。

ゲドはもんどり打って落ちた。彼の頭上で、世界の闇に入った亀裂が、引っ張られるように大きく開いた。見物していた少年たちは逃げた。ヒスイは伏せて、恐るべき光から目を逸らした。友だちに向かって走ったカラスノエンドウだけが、ゲドにしがみつき、彼の体に切りかかっている影の塊を見た。それは黒い獣のようだった。大きさは子どもほどだが、伸び縮みしているように見えた。頭も顔もなかった。あるのは鋭い鍵爪の生えた手足。それを使って掴みかかり、切りつけていた。

場面は一気にパニックに襲われる。私たち読者は、視点を担うキャラクターが見た他の皆の様子を体験する。「裂け目」と、そこから這い出してきたモンスターに対する皆の反応だ。この段階ではモンスターは、ただの「影の塊」。これが鋭い鍵爪で引っ掻くのをやめるまで、ゲドにはこのモンスターを観察する余裕を持てるはずがない。

リン・アビーが言うには「私がモンスターと対決する羽目になったら、絶対に視覚に頼ります。人間は視覚を利用するハンターですからね。目で見たものから情報を抽出するようにできているのです。作家として登場人物に楽をさせてやりたければ、目でいろいろ見えるようにしてやりますが、私は意地悪なので、闇の中に置き去りにして耳を頼りに考えさせるでしょうね」。

そう、耳だ。

どのような音を出すのか

暗すぎる。水が濁っている。間にあるものが邪魔。理由はいろいろあるが、見たいものが見えないとき、私たちは耳に頼る。

デジタル・サラウンド音響システムを極限まで駆使したゲームが二本ある。『バイオショック』と『デッドスペース』だ。プレイ中途切れることなく音が聞こえてくるように作られている。誰かの絶叫や、視界の外にいる人の狂乱したような会話が、環境音を破って響く。それは敵が来る前ぶれかもしれないが、ほとんどの場合はプレイヤーをびびらせるためだけに響く音。プレイしたことのある人なら、あれがいかに効果的か知っているはずだ。

人間は、ある種類の音に反応するようにできている。「夜ゴミを捨てに道に出たら、急にガラガラ……ドンッ。シュシュシュシュ！　と聞こえてくる。でも姿は見えない」とリチャード・ベイカーが解説してくれる。「絶対怖いだろう？」

悲鳴が聴こえればそれに関心が向く。どこかに捕食獣が潜んでいるかもしれないという状況で、ドン！　と音がする。さらに床のタイルを引っ掻く爪の音。これを無視できる人もいない。しかし背景に雑音が溢れていたら、音の奔流の中から大事な音を拾うのは難しくなる。この二本のゲームは、そのような音と聴覚の居心地の悪い、そして謎めいた関係を、巧みに操る。

剣と魔法ものの傑作『赤い釘』で、著者ロバート・アーヴィン・ハワードは、モンスターを登場させる前に、まず登場人物にその音を聴かせている。

「馬は茂みの向こうに居るはずだ。あそこだ」。コナンは、木立を吹き抜けるそよ風のような声で囁いた。そして言った。「聴こえるか？」

そう言われる前に、ヴァレリアはその音を聴いていた。冷たいものが血管の中を走り抜けるのが感じられた。彼女は無意識に、日に焼けた逞しい相棒の腕に手を添えていた。茂みの奥から、骨が砕け肉が裂ける大きな音が聞こえてきた。ゴリゴリという音と、何かを啜りこむ音。血も凍るような御馳走を貪る音。
「ライオンはあんな音を立てて食べない」。コナンは囁いた。
「俺たちの馬を食っているのは、ライオンじゃない……クロムの神よ！」

目撃者とは言っても、妙な言い方だが、耳撃者とは言わない。そこでラヴクラフトの傑作「ダンウィッチの怪」の一節を読んでみよう。

認めざるをえないのだ。地獄から来る神をも畏れぬ魔物たちの群れのことは、あまりにも誰もが知っているので否定できないということを。アザゼルに、ブズラエル、ベルゼブブ、そしてベリアル。彼らの呪われた声が地の底深くから聴こえてくることを。地上には確かにその声を聞いたと言う者が何十もいるのだ。かく言う私も、家の裏の丘で邪悪な権力者たちの会話を初めて聞いたのは、ほんの二週間ほど前のことだった。ががら、ごろごろと音が鳴る。唸り声に金切声に甲高い蒸気のごとき音。この世の誰にも出し得ぬような音。黒い魔術でしか見つけることができず、悪魔にしか開錠できない洞窟の奥深くから聞こえてくるのに相違ないのだ。

この登場人物は、音以外のものには反応していない。ラヴクラフトは、「名状しがたきもの」でも、名も無きモンスターを音によって導入している。

漆黒の闇の中に、私はきいっという音が反響し続けるのを聴いた。背後にある呪われた屋敷についている格子窓の一つが開く音だと、私は悟った。それ以外の窓の枠はすべて朽ちて落ちてしまっている以上、開いているのは忌々しい屋根裏部屋についている、あのガラスの無い邪悪な窓でしかありえなかった

続いてもラヴクラフト。今度は別の感覚に訴えてくる。

どのような臭いがするのか

さらに同じ方向から、反吐を催すような不快極まりない臭気が勢いよく押し寄せてきた

「反吐」なんて言葉は最近使わないかもしれないが、良い言葉だから復活させよう。
きみの友人が何か臭いものを嗅いでしまい、顔をしかめて「臭!」とまで言った上に、ご丁寧にそ

れをきみの目の前に差出して「ほら、嗅いでみな」と言ったことくらい、誰にでも経験があるだろう。

しかも、きみは律儀にそれの臭いを嗅いでしまう。臭いものがあると、つい嗅ぎたくなってしまう。そして後悔する。腐った肉のように、悪臭を放つものは毒性があったり病気の原因だったりする。悪臭は警告なのだ。一方で、防衛反応としての悪臭というものもある。動植物の中には悪臭を放って敵を遠ざけるものもいる。匂いを生殖のための道具に使うものもいる。獲物を匂いでおびき寄せるものさえいる。

モンスターを創作するときには、匂いも考慮しよう。なぜ悪臭を放つのか。またはいい匂いがした方がいいかどうか、考えてみよう。もしかしたら、縄張りや獲物に匂いづけをして、相手を見つけやすくするのかもしれない。またはスカンクのように、自分を襲ってきそうな相手を遠ざけるために悪臭を発生させるのかもしれない。

雨に濡れた犬を家に入れるとき、うちでは「ミミズの臭いがする」とか「泥くさい」と言うのだが、ともかく独特な臭いがする。つまり、環境が変わったらモンスターの匂いにどう影響するかということも考えてみよう。月探検をした宇宙飛行士は、月の塵は独特の匂いがしたと言っている。きみが創作する異星の香りは、どのようなものだろう。その星の土に覆われた異星生物は、どのような匂いがするのだろう。月の塵の匂いを嗅いで宇宙飛行士が言ったように、火薬の匂いがするのだろうか。それとも玉ねぎの匂い。腐った野菜の臭い……いいアイデアがあれば、何でもどうぞ。

どのような感触なのか

次に読んでもらうラヴクラフトの「未知なるカダスを夢に求めて」の一節には、真っ暗闇の中をモンスターから逃げる男が登場する。耳を頼りに化け物の接近を知ろうとするが、何より恐ろしいのが触れた感触だ。

音はゆっくりとしか伝わらない。だから、彼らの生返事がカーターの耳に届くまでに、かなりの時間を要した。待ちわびた返事はついに届き、やがて縄梯子が投げおろされると伝えられた。待つ時間はカーターに緊張を強いた。自分の大声を聴いて、この骨の山の中で何かが目を覚まさなかったとどうして断言できようか。そして彼は、まぎれもなく微かな「かさかさ」という音をどこか遠くに聴いた。その音がじわりじわりと近寄ってくるにつれ、居心地の悪さは増した。縄梯子が落されるこの場所から動きたくはなかった。緊張の糸は耐えられないほどに張りつめ、まさに逃げ出そうと思ったその時、最近積み上げられたであろう骨の山の上で鳴ったどさっという音が、彼の神経をもう一つの音から逸らした。しばし闇の中で手探りをした後、彼は縄梯子を見つけて弛みなく自分に引き寄せた。しかしもう一つの音は止まず、彼が梯子を上る間も迫ってきた。五呎《フィート》ほど登った時、足の下でがらがらという音が急激に大きくなった。そして一〇呎登ったところで、何かが下から梯子を揺さぶった。一五から二〇呎も登ったであろう時、彼は自分の体の側面をぬるぬると擦って移動する巨大な何かを感じた。くねくねとうねりながら繰り返される凹凸を感じた。舐めるように体を擦りつけられるという忌々しい耐え難さから、彼は死に物狂いで逃れようと登り続けた。人類が決してその姿を目にすることのない、丸々太ったドールの体から。

「舐めるように体を擦りつけ」という表現は、いい味を出している。生き物の中には食べる前にちょっと試してみるやつもいる（たとえばサメは獲物にぶつかってみる）。同時に、もしかしたらこの巨大な何かは視力がなく、獲物を探している最中に出くわして、運よくガムのように噛み噛みされずに済んだということかもしれない。

モンスターの姿と匂いと触感は、それぞれ何らかの相互関連性がある可能性を覚えておいてほしい。もしそのモンスターが、たとえばぬめぬめとしたナメクジのような体なら、体表はぬらぬらと鈍く光り、這う音が聴こえ、這い跡は何かの臭いがするのかもしれない。大概の人は、ぬらぬらと鈍く光り臭う跡を残して這い回るものには、触らない方がいいと判断するはずだ。手についてしまったら厭すぎる。

そのモンスターに毛が生えているとしたら、そこからたくさんの想像が広がる。毛皮に触れるとどのような感触なのか。剛毛なのかふわふわなのか。そのモンスターがいるファンタジー世界の野蛮人は、モンスターの毛皮を着たくなるのか、それとも刀を研ぐために使うのか。

ほとんどの魚はすべすべしているが、サメの皮は砂ヤスリのようだ。

自然界に目をやれば、カニのように固い殻を持つものから、クラゲのように一定の形状を持たないのに刺すものまで、実に多様だ。

モンスター創作にさいして考慮する項目はさらに続く。熱いか、冷たいか。硬いか、柔らかいか。乾燥しているか濡れているのか、等々。答が何でも、必ず「どうしてそうなのか」を考えよう。

クラゲの棘つき触手は獲物を捕らえるため。そして水棲でなければ、あのような薄く透き通った体には進化しなかっただろう。カニや昆虫は体の外側に骨格があるから、硬くて骨っぽい。人間は恒温動物なので、触れると温かい。変温動物なら、自分のいる環境が暖かければ自分も暖かく、冷たければ自分の体温も下がる。モンスターに触れたときの感触も、その性質によって違うはずだ。

どのような味か

最後のこれはちょっと難しいかもしれないが、やってみよう。

私たちは、全感覚を総動員して大丈夫と確認されたものしか食べない。乳児はどんな汚いものでも口に入れるので例外だが、乳児以外の人間は体に入れるものには慎重だ。毒がありそうに見えたり、腐っていたり、ぱきっといい音を立てて折れなかったものは、食べたくない。

映画『ゴーストバスターズ』(一九八四)の、ビル・マーレイがねばねばを浴びる場面を思い出してほしい。口に入ったねばねばを吐き出そうとするので、映画の中ではねばねばは美味しくないというとことになっている。どんな味か試しに食べてみる気はないが、文章として登場人物の視点で表現するなら、心霊体《エクトプラズム》の味について書かないわけにはいかない。

味覚という第五の感覚に訴えるという挑戦を、勇んで受けて立つ強者《つわもの》作家もいる。そしてエレノア・アーナソンは、短編「The Woman Who Fooled Death Five Times(死神を五回たぶらかした女)」で、大胆にその挑戦に挑んでいる。

女神が世界を創造したとき、彼女は料理人のように時折味見をしながら創った。果物が間違いなく甘くなるように味見し、苦いハーブは苦くなるように味見した。女神は他のものもいろいろ試した。石、粘土、水、虫、魚、鳥、そして毛皮のある動物も。火が通っていようがいまいが、彼女の舌に乗らないものはなかった。

そして世界は完成した。満足いく出来だった。そして女神は、満腹で気分が悪かった。

最後に……五感すべてに裏切られたらどうしよう。なにしろ架空の世界、想像上の時間からきたものの話をしているのだ。地球上で通用する物理や化学の法則が適用できる保証はない。

アンブローズ・ビアスは、まさにそのようなモンスターを想像して、「怪物」を書いた。

音だけではなく、色彩も同じだ。化学者が太陽光線のスペクトル分布を分析すれば、その両端には「化学線」と呼ばれる光線が複数見つけられる。それらの光線をもって光を構成するすべての色が表されるのだが、私たちの目には見えない。人間の目は不完全な道具なのだ。光を「半音階」で表したとすると、人間の目にはその中の数オクターブ分の光しか見えていないのだ。私が狂っているわけではない。目に見えない色というのは、本当に存在するのだ。

嘘ではない! それがあの呪われたものの、色なのだ!

★01 ――Ursula K. LeGuin, *A Wizard of Earthsea*, Houghton Miffl, 2012(1968).(邦訳=アーシュラ・K・ル=グウィン『ゲド戦記1 影との戦い』、清水真砂子訳、岩波書店、二〇〇六年、一〇三―一〇四頁)

第一九章——正体を現すためのお膳立て

正体を断片的に現すモンスターほど、怖い。そして焦らずじっくり正体を現すモンスターは、もっと怖い。

小説『クージョ』を見本に、スティーヴン・キングがどのような手際でモンスターの正体を現したか見てみよう。ページをかなり捲ったところで、配達人たちがチェーンブロック（重量物を持ち上げる仕掛け）を運んできて、狂気に憑りつかれたセント・バーナード犬クージョに遭遇する。モンスター犬は唸って威嚇するが、作業員たちは逃げおおせる。後で今しがた遭遇した犬が「いかれて」いるという話はするが、気をつけなければだめだと誰かに警告することはない。

車で到着したときには「犬に注意」の看板に気づかなかったが、そんなものをわざわざ出さない田舎者も多い。一つだけ確かなのは、あんな声で唸る犬は絶対に鎖で繋いだ方がい

い。ロニーはそう思った。★01

この遭遇以降、怖い犬の場面の間に挟まれるようにたくさんのドラマが紡がれる。ジャンルにかかわらず巧い小説はどれも同じ。『クージョ』も御多分に漏れず人間のドラマが肝なのだ。三〇ページほど読み進めると、この小説の幼い主人公ブレットが、大好きなクージョの瞳の中に見られる微かな異変に気づく。べちゃべちゃとした描写だが、そこには少年と犬の遭遇が持つ感情的で心理的な効果が描かれているのだ。

大きくて哀しそうな瞳が特徴的なセント・バーナードだが、今のクージョの目は赤く腫れて呆けた感じで垂れていた。犬というより豚の目のようだった。毛皮には、まるで湿った原っぱの窪みで転がったときにつくような、茶色がかった緑色の泥が固まって付着していた。にやりと笑っているかのように皺が寄った鼻面を見たブレットは、怖くて身動きできなかった。心臓が喉で暴れているように感じられた。

クージョの歯から、白くて濃い泡がゆっくりと垂れて落ちた。

物語の展開につれて、クージョの目つきも変わり続ける。この場面では「赤く腫れあがり呆けた感

じ」だった目からは、やがて「何やら粘りのある物質が漏れ」ることになり、クージョの身体に起こる変貌を現している。そして物語が進むにつれ、クージョの毛皮は血に染まっていく。

さらに、クージョの変容の様子は常に音によって登場人物たちに伝えられる。

振り向いて中に戻ろうとしたとき、彼は唸り声を聴いた。その低く力強い唸りは、草が伸び放題になった側庭が終わって干し草畑が始まるちょうど向こうあたりから聞こえてきた。

クージョの立てる音は、唸りから「ぎしぎしという機械のような重い音」に、さらに「どんな吠え声よりも凶暴な」声に変わっていく。

クロースアップで書くということを意識して、次の文章を読んでみよう。キングは畳みかけるような短い文で、クージョに襲われた被害者に寄りそった視点を活写している。

ギャリーはよろよろと立ち上がった。ポーチの最後の二段を後ろ向きに登った。そしてポーチの向こう側まで後ずさり、後ろ手で網戸の取っ手を探した。生のガソリンを皮下に注ぎこまれたかのように肩がひりひりした。狂犬病！　心の中で声が叫んだ。狂犬病をうつされた！

たった五六の単語で構成される六つのセンテンス［日本語訳では一一八文字の七つの文］。長いセンテンスでも一七単語。短いのは四単語だ［日本語訳は長いのが三二文字、短いのは三文字］。一方、同じページには次のような一文もある。

ギャリーが振り向いて暗い廊下を押入れに向かって進み始めたそのとき、鼻に皺を寄せて嘲笑うように歯を剝き出し、胸から乾いた吠え声を繰り出しながら、クージョが網戸の下半分を突き破ってきた。

この一文は四四の単語［日本語訳では八七文字］で構成される。一文が長いと、読者に息を継ぐ間も与えない。嘘だと思うなら、声に出して読んでみてほしい。そして自分が本当に怖い思いをしたときのことを思い出してみてほしい。何か危険な目に遭ったときのことを。身の危険を感じたときには、息苦しくなかっただろうか。恐怖に凍りつく直前、どんな恐ろしいことが起きるかと身構えているときは、息遣いは細かく、速くならなかっただろうか。

正体を現す三段階

モンスターは三段階に分けてその正体を現すようにしよう。第一、第三段階が、最も速く(文字数少な目)で、しかも最も劇的になるはずだ。第二段階ではじっくりと時間をかけて、モンスターの能力、外見、それが立てる音、臭い、感触といった様々な側面を明かしていく。同時に、登場人物が直面する危機を高め、敗北の代償を大きくしていくことを忘れずに。

これからいくつかの見本を使って三段階の説明をするが、ファンタジー作家リン・アビーによる『ジョーズ』を使った解説を主な、そして最高の見本として使わせてもらうことにする。

ホオジロザメは実在の生物だが、それでもサメが実在のサメとして振る舞わない以上、『ジョーズ』はモンスター映画なのだ。劇中、サメの専門家(フーパーとクイント)は、そのサメらしからぬ行動についてコメントし続ける。話が進むにつれ、観客は件のサメを少しずつ目にする。少しずつ、少しずつ。観客がサメの全容を、その鼻先から尾ひれの先まで目撃するのは、最後の最後までお預けなのだ。

第一段階――最初の遭遇

「早い段階で(少なくとも三章までに)、どのような物語を読んでいるのか、読者がわかるようにしてあげなければいけません」と、リン・アビーは助言している。

映画『ジョーズ』は一切時間を無駄にせず、初っ端からサメの目線映像でそれが何の話なのか教えてくれる。暗い海中を泳いでいく何者かの目線。続くショットは、夜に一泳ぎしようと海に走る若い女性。泳ぐ女性を下から見上げるショットがあるが、一度襲撃が始まると、暗い海面の下で何が起きているのかは一切見せてもらえない。サメの姿も背びれも見えない。見せてもらえるのは、憐れな女性を翻弄する得体の知れない力の恐怖だけ。その力が具体的に彼女に何をしているのかすら、明確ではない。この曖昧さこそが観客や読者の〈怖いけど観たい〉という気持ちを掴むのだ。

チェルシー・クィン・ヤーブローが一番好きなモンスターは「正体はわからないけれど、煙が立ち上る足跡を残しながら歩く映画『悪魔の呪い』(一九六六)のモンスター。モンスターを少ししか見せてくれないので、観客一人ひとりが自分にとって一番恐ろしい何かを想像する余地があり、だから各人の恐怖心に訴えかけられるのです。怖いという気持ちは漠然とした不安を糧にし、恐ろしいという気持ちはもっと直接的な脅威に反応するというわけです」。

一九六四年に出版されたフランク・ハーバートの傑作でありSFの古典でもある『デューン 砂の惑星』を読み返すと、離れたところに見えるモンスターが喚起する理由もなく怖いという気持ちと、理由が明確な恐ろしさが入り混じった効果的な描写が堪能できる。

立ち昇る土煙が、スパイス収穫機《クローラー》の周囲に影を落としていった。巨大な収穫機は右に傾斜し始めた。そのすぐ右側に砂の渦が巻き起こり、その動きは速さを増していった。周囲何百メートルもの範囲は砂塵に満たされていた。

そのとき彼らは見た！

砂の表面に巨大な穴が発生した。穴の中でスポーク状の何かが日光を反射して金属的に光った。穴の直径は少なくとも収穫機の二倍はある、ポールはそう判断した。そして彼は、収穫機がうねる砂嵐の中に滑り落ちていくのを見た。そして穴は閉じていった。

「神よ、何という化け物だ……」ポールの横にいた男が呟いた。


『ジョーズ』の序盤と同様、引用した文章では、モンスターの全容は明かされない。しかし、そこには何かが、しかも危険な何かが確かにいるのだ。

第二段階――次第に増大する脅威

この段階が、きみが書く物語の大部分を占めることになる。ここで作者は登場人物を追い詰める。そしてスティーヴン・キングの『クージョ』が犬から怪物へと徐々に変容していったように、登場人物が直面する脅威も増大していく。

キングの中編小説「霧」が、いい見本になる。モンスターとの最初の遭遇では屋外にいる巨大な何かが示唆されるが、その触手しか見えない。話の展開につれて、モンスターたちはより気味悪く、より大きく、より恐ろしく、異物感満載のものとして描写される。そしてより多くの人が内に秘めた恐ろしい秘密を暴露しながら死んでいく。迫りくるモンスターは数を増やし、出現するたびに大きさを増し、より恐ろしくパワフルなものになり、場合によっては賢くすらなる。そのたびに読者に与えるインパクトも増大するというわけだ。やられる確率は上がり、登場人物が直面する危機も増大する。

そうすることで、増大する脅威の中に放置された読者は「次はどうなる？　終わりがあるのか？この不安は的中してしまうのか？」と心配してくれる。作者に手を緩める気がまったくないことを、読者にわからせてあげよう。読み進めるほど怖くなる。読み進めるほど怖くなくなるのより、絶対にいい方向性だ。

ＳＦとファンタジー作家のデヴィッド・ドレイクは、元祖『キング・コング』（一九三三）のファンだ。「コングというよりは、筏で沼地を渡る上陸隊の場面に出てくるブロントサウルスが好きだ。最初、遠くに見えるときには怖いと感じない。次に六メートルほどの距離に現れるときにはびっくりするが、すぐに水に潜って見えなくなる。観客も筏に乗った上陸隊も、次に何が起きるか充分承知している。その状態のまま数秒間じらした上で、恐竜が下から筏に襲いかかり、ひっくり返して乗組員を蹴散らすんだ。

すごい場面だと思うよ。褒めても褒めても褒め過ぎということはないくらいだ」。

高まり続ける脅威という仕掛けは、アルフレッド・ヒッチコックが〈本能的な怖さ〉と〈迫る危機の恐ろしさ〉に違いについて語ったインタビューを思い出させてくれる。テーブルを囲んで四人の男性が座っている。でも、爆弾が突然爆発し、四人とも木っ端みじん。観客は数秒の間、強烈な〈怖さ〉を覚える。でも、爆弾のクロースアップから始めて、カメラがパンしながらその爆弾がトランプに興じる四人が着席したテーブルの下にあることを次第に明らかにしていったら、しかも四人とも爆弾の存在にまったく気づいていなければ、観客が感じる〈恐ろしさ〉はより長く持続する。

しかし第二段階においては、〈本能的な怖さ〉を小出しにしてやることで、モンスターが喚起する〈迫る危機の恐ろしさ〉を高めてやることができる。要はバランスの問題なのだ。リン・アビーが、『ジョーズ』を例にとって解説してくれているとおりだ。「たまに怖い場面を小出しにしてやったり(例――海水浴客がもう一人食われる)、見当違いの行動を取る人(例――ノリでサメ退治に行く馬鹿)を出したり、ミスリード(例――サメを捕獲して殺した。でも違うサメだった)してやります。スマートな仕掛けではありませんが、そういう場面に出てくる人たちはいわゆるレッドシャツ[危機感を煽るためだけに登場する脇キャラの俗称]なのです」。あるいはそのキャラクターは、誰もやりたがらない仕事を渋々引き受けて、モンスターの恐ろしさを観客や読者に思い出させてくれる係なのかもしれない。『ジョーズ』でいえば、おんぼろの桟橋でサメを誘き出そうと釣り針に肉をつけて、危うく自分がサメの餌になりそうになった男性だ。

「変化球も効果的ですね」とリン・アビーは続ける。「沈没した漁船でフーパーがサメの歯を発見したとき、観客はサメを期待しますよね、死んだ船長の頭じゃなくて」。

とは言っても、死や破壊を散りばめておけばいいというものでもない、とアビーは言う。「それ以外にも大事なのは、些細なこと。たとえば小道具、特徴的な癖、唐突に明らかになる何か。たとえばブロディ署長は水が怖いので、クライマックスでサメ退治に出かける彼は、船上にいても常に水の恐怖と隣あわせなのです」。

このような「些細なこと」を、物語の展開に応じて上手に沁みこませよう。その場面を効果的にするために必要なモンスター（または主人公）のディテールが何か考える。そして考えすぎないようにしよう。小出しに、あくまで必要以上には出さないように。

第三段階——引き返せないポイント

前の章でも書いたが、モンスターものはモンスターの謎が明らかになり、登場人物が能動的に対処し始める瞬間に、引き返せないポイントを迎える。この点に到達したとき登場人物は、モンスターに何ができて何ができないか、そして何を欲しがっているのかを理解している。受け身は終わり。

こちらから仕掛ける番だ。必ず能動的にならなければいけないというのではないが、能動的で問題なし。一方で、主人公を逆襲のために必ず立ち上がらせる必要はないし、モンスターに奪われた頂点捕食者の座を必ず奪還しなければいけないわけでもない。「最後に全員死ぬ」という終わり方にも、一理あるのだから。

とは言え、登場人物たちがまったく受け身のままで終わるわけにもいかない。モンスターが怖くても何もしないというわけにはいかないのだ。

「一度パズルのピースがすべて出そろって、登場人物たちが避けられないクライマックスに向けて進み始めたら、読者の期待を裏切ってやるといいですよ」とアビーは助言している。「読者は何が起きるか知っているつもりなので、その先入観から解放してあげましょう。銃身を見せるなら、お約束の劇伴に頼らずに見せる方法を考案してあげてください。最後に大事なことが一つ。モンスターは、可能な限りじらしてから見せましょう」。

ジェラルド・ジョーンズは著作『Why Children Need Fantasy, Super Heroes, and Make-Believe Monsters(どうして子どもにはファンタジーが、スーパーヒーローが、そしてモンスターごっこが必要なのか)』で、モンスターの存在意義を次のように説得力をもって論じている。モンスターの脅威を克服するヒーローが見たいという以上に、大人の世界に存在する危険または怖いと感じられるものを自分なりに理解するために、子どもたちはファンタジーを必要とするのだ。フィクションの中でモンスター退治を体験することで、モンスターの恐ろしい力を無効化するのだ。

ありえそうなモンスターを練り上げ、物語の展開と共に高まる危機をお膳立てして、主人公がそのモンスターの脅威を克服する能動的で説得力に満ちた方法を考案すれば、きみの書く物語は満足感に満ちた読書体験になる。

最後に全員死ぬ物語なら話は別だが。

まあ、それもありだ。

★01——Stephen King, Cujo, Viking Press, 1981.(邦訳=スティーヴン・キング『クージョ』、永井淳訳、新潮社、一九八三年、一一四頁)

第二〇章——孤立

今いるここにモンスターと一緒に閉じこめられてしまい、助けを呼ぶ手段がない！

この簡単な文章で紹介できてしまうモンスター噺が、一体いくつあることか。モンスターは作品ごとに違い、「ここ」がどういう場所かも変わる。しかしコンセプトは同じ。ならば、誰をどうやって孤立させてやろうか。

小説家アラン・ディーン・フォスターは「孤立させるかどうかは文脈次第。人が大勢いる大都会にモンスター出現というのでも問題はない。しかし孤立すればするほど、読者が感じる恐怖と不安は直接的なものになる」と断言している。

よほどのことがない限り、モンスターが現れて一一〇番通報すれば、ものの数分後には警察が到着するだろう。それがどんなに不気味で恐ろしいモンスターでも、後は警察に任せておけばいい。通報に応じて来た警察は応援を要請し、特殊部隊が投入され、州兵が招集され、そうするとそれは主人公対モンスターではなく軍事複合体対モンスターの物語になってしまう。孤立した小集団とモンスターとの戦いを、国家単位の武力が危険な怪物の侵略に対応する物語に拡大した例には、「霧」から『ゴジラ』までいろいろとある。そのような物語が効果的に成立する次元は確かにあるが、それでも最高のモンスターたちが宇宙の果てに浮かぶ宇宙船や、人里離れた南極にある研究施設や、森の中の一軒の山小屋や、場所に限定されない嵐の真っただ中や、停電の最中に襲ってくるのには、理由がある。孤立という状態は、やがて避けようもなく訪れる破滅という感覚を増幅するからだ。

孤立したときに心の奥底で感じるような不穏さを、いかにして喚起するか。特に自分より能力が高いかもしれない捕食者に一人きりで対峙しなければならない恐怖を。それを考えるために、第二章で考えた「モンスターを怖くするのは何か？」という問いに立ち返ってみよう。

動物的な捕食の本能によって集団的に狩りを行なう原始的な狩猟動物だった人類は、複雑で創造的な脳と、器用な手先に生き残りを賭けた結果、文明的な存在に進化した。その結果、私たちは器用な手先で作り上げた物を正確に使いこなすことができるようになった。私たちは集団を形成することもできる。ライフルを持った男が一人ならただの危険人物だが、一万人いれば歴史を変えるかもしれない。さらに私たちは、集団を築いて繋がり続けるために自らが作り出した技術を使うこともできるようになった。通信テクノロジーがあれば応援が呼べる。少なくとも警察は呼べる。友達を一人呼んで助けに来てもらうこともできる。

でも、そんな文明の利器がすべて取り上げられてしまったら……

登場人物を危険で恐ろしい状況に陥れたいならば、その人たちから高度に発達した武器を剝ぎとってやればいい。一つ、また一つと、ライオンの口から牙を一本ずつ抜くかのように。そして人間が本能的に持っている一人きりになりたくないという気持ちを、弄んでやる。助けが来ないとわかっているなら、なおさらだ。

一九〇八年に出版されたウイリアム・ホープ・ホジスンの古典的名作『異次元を覗く家』では、タイトルに言及される「家」がある場所、つまり文明社会の果てとも呼べるようなその場所が物語の要になっている。どんなに泣き叫んでも、その叫びを聞いてくれる人は近所にはいない。

この、まったく手入れが行き届いていない巨大な庭に囲まれた古びた家に、私という年老いた男は住んでいる。

庭の向こうに広がる荒野には百姓どもが住んでいるが、彼奴等《きやつら》は私のことを狂人だと言う。私が彼奴等と一切関わろうとしないからだ。私はここで年老いた妹と二人きりで暮らしている。妹はこの家の家政婦でもある。召使は嫌いなので、そんなものはいない。友人は一人いる。犬だ。地球上の生きとし生けるものすべてよりも、ペッパーの方がましだ。少なくともこいつは私のことをわかっている。私の気分が暗く落ちこんでいるときには、私を放っておいた方がいいということを、心得ている。
　私は日記をつけることにした。日記をつければ、誰にも話せないような気持ちや考えを記録できるだろうが、それとは別に、この奇妙な古屋敷で何年も続く孤独な生活の中で見たり聞いたりした不可解な出来事を、記録したいという焦りを感じていたのだ。

孤立感がこの物語の一貫した主題であり、主人公の孤立が深まるにつれ緊張感が劇的に増大し、やがて彼の心を蝕み始める。

不安にかられながら私はそこに立ち尽くした。ふと足が小石に触れてしまい、小石は穴の内側に、暗闇の中に落ちてカチンとくぐもった音を鳴らした。その瞬間、音は何十回も反復を始めた。反響はあたかも私から遠ざかっていくかのように、次第に微かになっていった。やがて静寂が戻ると、私はそこに密かな息遣いを聴いた。私が息を継ぐたびに、それに応えるかのように息をする音が聴こえた。息は近づいてくるようだった。やがて息をしているのが一人ではないのが聴き取れた。離れた場所から聞こえる微かな息遣い。なぜさっさと縄を掴んでこの危機を脱しなかったのか。そんなことは自分にもわからない。体が麻痺したかのように身動きができなかったのだ。体中から汗が吹き出し、乾いた唇を舌で濡らそうと私は必死になった。突然喉はからからに干上がり、私は乾いた咳を吐いた。咳は、気味悪い音となって茶化すかのように何十回も跳ね返ってきた。いたたまれずに、私は闇の中を見つめたが、そこには何も見えなかった。息が詰まるような感覚が押し寄せてきて、私は再び乾いた咳をした。咳は反響してあちこちを飛び回りながら、次第にくぐもった静寂の中に消えていった。

　そのとき、ふと思い立って私は息を止めた。闇の中にいる他の奴等も、息を止めた。私は息を吐いた。すると他の息が再び始まった。もう恐れる必要は無かった。この不気味な音を発生しているのは、明らかに闇に潜む豚の怪物などではなかった。私自身の呼吸が反響しているにすぎなかったからだ。


登場人物たちを孤立させる方法は、作品のジャンル的な制約を考えなくてよければ、思いつく限りほぼ無限に存在する。

　ここで、現代の作家たちが無視したくてもできない問題の話をしよう。物語の舞台が現代である場合、それがホラーでも、都市型ファンタジーでも、近未来SFでも同じだが、主人公が携帯電話で一一〇番通報してしまえるのに、どうしてしないのか、という問題がつきまとう。誰もが携帯を持っている現代の話なら、どうしてそれを使わないのかという理屈を考え出さなければならない。

ジャンルを問わずこの携帯問題は作家にとって避けて通れないものになっている。注意して作品を鑑賞すれば、物語のどこかで必ず携帯が使用不能になる場面が存在することに気づくだろう。バッテリーが切れる。受信状態が悪い。電話機が故障する、またはどこかに置き去られる等だ。

映画『キャビン』のジョス・ウィードン［プロデューサー］とドリュー・ゴダード［監督］は、人里離れた山小屋で休暇を過ごすために出かけるところから物語が始まるモンスター映画という、定番のお約束を使っていろいろなお遊びを仕掛けた。この登場人物たちは、周囲に一切住人がいないような山小屋を、携帯も通じなければテレビも受信できないからという理由で借り切るのだ。「何もかも忘れるために」訪れた山小屋で、何もかもがおかしくなっていく。

歴史ものやファンタジーの方が、孤立という仕掛けは扱いやすい。携帯電話の代用品になるような魔法でも普及していないかぎり、現代人が電話やラジオ等々の発明以来経験していないような孤立感が、特別な仕掛けもなしに簡単に得られる。ファンタジーの世界で登場人物たちが呪われた森を踏破するという苦行を課されたとして、ピンチに陥っても電話一本で森林警備隊に助けに来てもらうわけにはいかないのだ。モンスターに遭遇するたびに、頼れるのは自分たちだけ。物語が始まった瞬間から、あらゆる問題に自分たちだけで対処しなければならない。

そして、モンスターそのものが登場人物を孤立させることもある。H・P・ラヴクラフトは「未知なるカダスを夢に求めて」で、奇妙な異星の風景の描写に恐ろしい孤立感を感じさせてくれる。

夜鬼《ナイトゴーント》の編隊が飛行高度を下げ、灰色のトゥロク山脈の峰々が四方に高くそびえ立つにつれ、この永遠に続く黄昏の下に広がる厳かで目を見張るような花崗岩の地平に、住む者がいないことが明らかになった。さらに高度を下げると、鬼火が大気に放出され、細く隆起した峰がゴブリンのように見えている以外は、原始的な漆黒の闇があるだけだった。やがてその峰々も遠くに過ぎ去り、最も深い洞穴の暗さを伴った暴風だけが残った。遂に夜鬼たちは目には見えないが骨のような触感を持った地面に着陸し、カーターを黒い谷に独り残して去ってしまった。ングラネク山を守護する夜鬼たちに課せられた任務は、カーターをこの最果ての地に連れてくることだった。その仕事が済んだ今、夜鬼たちは静かに飛び去っていった。カーターは、夜鬼たちがどこへ飛んでいくのか見ようとしたが、無駄だった。トゥロクの峰々ですら遠く視界の外に、おぼろげにすらも見えなかった。そこにあるのは、見渡すかぎりの黒い闇と、恐怖、静寂、そして骨だけだった。

最後の文章以上に隔絶感を喚起する文がありえるだろうか。

『異次元を覗く家』の主人公のように、中には自らすすんで孤立を求める者もいる。しかしどんなに正気を保とうとあがいても、やがてその孤立感に狂わされてしまうのだ。人間が社会的な動物である以上、他の人間たちとの繋がりを断てば断つほど、自らがモンスターになる危険が高まるのだ。

「(一九六五年の)映画『反撥』でカトリーヌ・ドヌーヴが演じた主人公は、かなりの孤立感に苛まされていたので、結果は最上のホラーになった」と、スコット・アリーは指摘している。「『ブレイキング・バッド』(二〇〇八‐二〇一三)のウォルター・ホワイトも、どんどん孤立していく。人というのは孤独なもの。ホラーというジャンルは、人間の孤独を探求する最高の方法だからね」。

第二一章

独創性とは——使い古された表現と基本型の違い

ベストセラー『Condemnation』の作者で受賞歴を持つゲーム・デザイナーでもあるリチャード・ベイカーは、使い古された表現を次のように定義している。「同じアイデアや同じ前提が同じ扱い方をされたらそれは使い古された表現。でも、より効果的に物語を語るために、使い古された表現を使うこともある。たとえば狼憑きや吸血鬼のパワーや弱点は、皆知っているからね。そうは言っても、狼に憑かれた人は全員自分の所業に恐れを抱く消極的な人で、昨今の吸血鬼は全員何らかの心の傷を抱えた何百歳かの不死の存在みたいだから、いくらなんでも新しい解釈が必要な時期だ」。

まったくだ。

竜も、異星生物も、ゾンビも、幽霊も、悪魔も、それ以外の多種多様なモンスターたちも、どれも怪物の基本型なのだ。いずれもジャンルの必需品であり、誰でも自由に使うことができる。どのモンスターを選んで物語のなかで使っても、やめろと言われる理由はないが、折角使ったモンスターの基本型が使い古されたものになってしまわないためには、ある程度の独自性が、そして作家の創意工夫が問われる。個人的に吸血鬼ものは好みではないが、『30デイズ・ナイト』(二〇〇七)や『モールス』(二〇一〇)は独特の面白さを持っていたから好きだ。

『30デイズ・ナイト』に登場する吸血鬼は知的だが病的に残虐でもあり、反抗的な暴走族か快楽殺人カルトのメンバーのように振る舞う。一方『モールス』の吸血鬼は哀しみを湛えた孤独な少女として登場するが、次第に悪魔的で一筋縄ではいかない怪物性を露わにする。どちらの作品にも、成就しない恋愛に苦しむ伯爵は一人も登場しない。どちらの作品も独自の声を持っており、吸血鬼が吸血鬼と認識される最低限の期待に応えた後は、独自の方向へと舵を切る。

「作者自身が自分が何を書いているか理解していなければ、何を書いても使い古された表現になってしまうと思います」と言っているのは、独創的で大人気の「吸血鬼サン・ジェルマン伯爵」シリーズの作者チェルシー・クィン・ヤーブローだ。「吸血鬼や獣憑きの物語を書くときは、そのモンスターの存在が何を意味するのか、そして、そのモンスターが普通の人と交わるとどのようなことが起きるのか決めておいた方が、巧くいきます。一度その二つを決めたら、そこから外れないように作者は用心しなければいけません。話の展開上不便になっても、外してはだめです。まず、典型的な吸血鬼や獣憑きがどんなものなのかリサーチが必要ですが、個人的にはアンソニー・マスターズの『The Natural History of the Vampires(吸血鬼の自然史)』がお勧めです。民話から文学から映画にいたるまで、素晴らしくよく調べて書かれた本です。ハマー・スタジオのホラー映画やテレビの「バフィー」(一九九七－二〇〇三)の再放送を観るのは楽しいと思いますが、それではリサーチになりませんよ。新しい物語の土台としては弱すぎます」。

モンスターが使い古されていると感じられるのはどのようなときか。ダークホース・コミックスのスコット・アリーによると「前にも見たと感じるとき。私にとって一番つまらないのは、凝り過ぎたデザイン。多分ギーガーが描いたエイリアンのデザインを模倣しているんだけど、神秘的でもなければ核になる物語もないヤツ。他の皆がそれを好きな理由を理解もせずに、自分が大好きな何かを模倣しちゃった場合が最悪だね」。

つまり、使い古された表現と言うのは、出来の悪い、命を吹きこまれそこなった基本型のパクリ。ならば、使い古されたようにならずに基本型を使うには、どうすればいいのだろうか。

モンスター調音卓

誰もが次なるハリー・ポッターを求めている。しかし「左手にハリー・ポッターの本、右手にペンを持って真似すればいい」とかいう話をしているのではない。次なるハリー・ポッターを求めているというのは、ハリー・ポッターのような現象、つまり無名の作家が書いた、書籍から映画までメディアを横断してファンたちの心を掴む作品を求めているということだ。

ハリー・ポッターは、ありとあらゆるところから主題や定番や特性といったものを借用して書かれている。既存のファンタジーやお伽話のボキャブラリーが多数借用されている。しかし借用された諸々が、発表当時には誰も見たことのなかった方法で混合され、錬成されていたのだ。それが「次なるハリー・ポッター」の意味するところだ。ハリー・ポッターの次回作ではなくて、ハリー・ポッターがそうだったように、それまであったどの作品とも違って旋風を巻き起こす作品のことだ。そして若者向け書籍市場ではすでに、「トワイライト」シリーズや「ハンガー・ゲーム」三部作として「次なるハリー・ポッター」が到来している。もちろんどちらもハリー・ポッターとは似ても似つかない物語だが。

ファンタジーでもSFでもホラーであっても、モンスターの基本型を使うときは、音響スタジオでミキシングのために調音卓を使っている感じで考えるといいのかもしれない。たとえば吸血鬼をミキシングしてみる。調音卓上のレバーやダイヤルを使うと、それぞれ伝統的な吸血鬼が持っている特徴が調整できるとする。血を吸う。日光に弱い。十字架を嫌う等だ。それぞれのダイヤルは〇から一〇〇まで目盛りがあって、きみはダイヤルを捻ってそれぞれの特徴を調整していく。

きみが創作している吸血鬼は、日光に少しでも触れたら消滅してしまうのだろうか。ならばダイヤルの目盛りは一〇〇、最大値だ。それとも、日中活動はできるが力が弱まってしまい、短時間で酷い日焼けを負ってしまうのかもしれない。ならば目盛りは二〇とか三〇ということだ。目盛りを

○に下げてしまえば、きみの吸血鬼は日光の影響は一切受けない、ということになる。同じように「血を吸う」ダイヤルについて考えてみよう。最も凶暴なのが一〇〇。牙を突き立てて片っ端から血を吸い上げる『30デイズ・ナイト』の吸血鬼だ。あるいは、小さな刃で犠牲者の喉をかき切るホイットリー・ストリーバー著『薔薇の渇き』に登場する吸血鬼なら、目盛りの数字は一桁だ。そしてダイヤルをどう捻るかは、きみ次第なのだ。

基本型選び

モンスターを創作するなら、何にでもインスピレーションを求めよう。定番のモンスターを創造的に衣替えするこつを会得した今ならば、なおさらだ。

きみが怖いと思う生き物は？　蜘蛛？　蛇？　寄生虫？　作家アラン・ディーン・フォスターは、そのすべてが怖い。「大き目の生き物なら身近な感じがしますが、闇雲にこちらを餌扱いするものは、私にとって文句なしにモンスターですね。蛭はモンスターです。蚊はぎりぎり違う」。

マーティン・J・ドアティによると「たとえ触手や棘がなくても、それを超えると生き物がモンスターになる線というものがある。怖ければモンスターだ。それがどういう生き物か理解していなければ、その線を超える。異質すぎるときにも超える。クズリはとても恐ろしいが、あれはただの動物だ。一方で巨大なイカはモンスターになり得る。異質でしかも恐ろしい動物だったら？　それもモンスターだ」。

動物にインスピレーションを求める必要はないし、求めるとしても一種類に限る必要もない。典型的なモンスターの中には、複数の動物の性質や外見的特徴を組み合わせたものもいる。「ダンジョンズ&ドラゴンズ」のオウルベア［梟熊］がそうだし、古典的なキメラなら頭はライオン、胴体は山羊、尻尾は大蛇なのだ。チェルシー・クィン・ヤーブローは「民話は多様な興味深いモンスターの宝庫で、奇妙で風変わりで恐ろしいものたちで詰まっていますから」、民話を参考にすると言っている。

しかし、怖いモンスターを作るなら、民話に頼らなければいけないというわけではない。最高に独創的なモンスターは、作家の心の一番深くて暗い場所から生まれ出るのだ。本当に恐ろしい怪物を創作しなければならないとき、作家リン・アビーはこうすると言う。「自分が見た悪夢から引っ張り出します。何しろ自分を不安な気持ちにさせられなければ、読者を不安な気持ちにさせられませんからね」。

独創性

作家たるもの、独創的でなければならない。そうでなかったら誰の目にも止まらない。流行の波に乗っているだけでは、やがて沈む。一〇代の吸血鬼は「今」はアツいが、もしきみが「ならば私も！」

と一〇代の吸血鬼が主役の小説を書き始めたとしたら……恐らく大きな問題が待っている。きみが小説(脚本またはゲームのシナリオ)を書き終えた頃には、一時アツかった流行も燃え尽きているに違いない。

もちろん、巨人の肩に立つつもりで、すでに成功した何かに新たな捻りを加えることには何の問題もない。宮﨑駿とギレルモ・デル・トロは最先端で活躍するモンスター・メーカーで、両名ともファンタジーというジャンルを新たな次元に引っ張り上げることに余念がない。是非ともこの二人の作品を研究してみてほしい。それ以外にも、きみが好きな小説家や、映像作家や、ゲーム制作会社を研究してみよう。そのとき、ここで紹介するギレルモ・デル・トロの言葉(Co.CREATE のインタビュー★01)を忘れないでほしい。

あなたが、誰かの真似をしてモンスターを創作するとしましょう。たとえばレイ・ハリーハウゼンとかね。すると、ハリーハウゼンはフランスの版画家ギュスターヴ・ドレに影響を受けたことがわかってくるんです。さらにドレは新古典主義の彫刻家や版画家に影響を受けたことがわかる。一つずつ遡っていくと、最後には一四世紀の素描に辿り着くんですね。オリーブ色の肌を持ち尻に顔がついた悪魔を見ながら「すごい! シンプルだからこんなに効果的なんだ!」と気づくんです。どんな化け物でも、最も純粋な形で表現してあげなければいけません」。

古臭くて奇妙でバカみたいに思えたとしても、ルール無用。モンスター警察やら設定厨に、これは良くてあれは駄目と言いがかりをつけられることなど心配無用。どんなに古いアイデアでも、自分の望みどおりに仕立て直せばいい。フィクションなのだから、何でもありだ。他のメディアはそうなっている。ゲームはどんどん奇妙でファンタスティックになっている。映画はデジタル技術を駆使してあらゆる表現を可能にしている。しかし、次のオリジナルヒット作を狙う創作者で溢れる世の中においては、世界観やストーリーテリングを独創的にする何かを、誰もが懸命に考案し、注入しなければならないのだ。

だから使える道具はすべて使おう。道具なしでは無理だから！

★01——www.fastcocreate.com/3020262/master-class/guillermo-del-toro-shares-14-horrorinsights-from-his-spectacular-sketch-book

エイリアン

脚本家ダン・オバノンが「スタービースト」の企画を映画製作スタジオに売りこみ始めたのは一九七六年のことだった。その一年後、若き脚本家兼監督のジョージ・ルーカスの賭けに乗った二〇世紀フォックス〔二〇二〇年以降は二〇世紀スタジオ〕は、他のスタジオから羨望の眼差しを浴びる存在になっていた。風変わりな宇宙映画と思われていた『スター・ウォーズ』が世界的な超ヒット映画に変貌したとき、フォックスは次の大ヒット作を求めた。「スタービースト」は『エイリアン』と改題され、名手リドリー・スコットの下で制作が始まった。スティーヴン・スピルバーグが手がけた「ポジティブな宇宙人」映画である『未知との遭遇』(一九七七)と『E.T.』(一九八二)に挟まれるかのように一九七九年に公開された『エイリアン』が描いた異星生物との最初の遭遇は、あまり楽観的なものではなかった。

作品の看板でもあるこの異星生物《エイリアン》は、電子楽器で共演することにも、自転車で疾走することにも、おうちに電話することにも興味はなかった。

「エイリアンは、私たちに原始的で恐ろしい認識を突きつけて迫ってくる。そう、私たちは獲物なんだ」。リチャード・ベイカーは言う。「しかも人間は、他の生物の生殖サイクルの中で宿主を演じさせられる、想像し得る限り最も恐ろしい形で捕食される犠牲者であると、エイリアンは言っているわけだ。それは狂った生態系を示唆してる」。

ダン・オバノンはデヴィッド・コウノウとのインタビューに応えて語っている。「一九七六年当時、スタジオの重役たちに対して私が疑う余地もないほど明確にしたかったのは、この作品に登場するモンスターは制作を滞らせるほど実現が難しいものではないということでした」。なぜなら、『スター・ウォーズ』公開以前には、スタジオにとってSF映画の予算確保の優先順位は低かったからだ。「だから、スーツに入った人間が難なく演じられるような場面を書いたんですよ」。

ここで改めて思い出したいのは、散文でフィクションを書くのなら、特殊効果撮影も特殊メークも考慮する必要がないということだ。そして映画の脚本を書いているとしても、デジタル視覚効果によって奇妙なモンスターを創造する技術が発達した現在ならば、一九七〇年代とは比較にならないほど自由に想像力を駆使する余地があるということも。

しかし、『エイリアン』で本当に怖いのは、二本脚で歩き回るエイリアンそのものよりも、エイリアンが赤ちゃんエイリアンを作るその方法だった。「私は、顕微鏡を使わないと見えないような寄生生物をモデルにしました。ある生物から次の生物へ寄生し、複雑な生活環を持っているのです。私の興味は異星生物の生態にあったので、予算の都合でそれをきれいに端折ってしまうつもりはありませんでした」。

映画の中で疑いなく最も有名な(きみが極度のビビリなら「悪名高い」だろうが)場面といえば、宇宙船の乗員の一人が謎の「フェイスハガー」(「顔をハグするヤツ」)にしがみつかれ、昏睡から目覚め、食事をして、突然痙攣を起こし、それから、それから……

「あそこで何かが起きなければと思いました。かなり早い段階でとんでもないことが起きるべきだと」とオバノンは説明してくれる。「ありえないような何か。それか。酷すぎて普通は絶対にやらないような何かを一回だけ、しかも物語がまだ始まったかどうかという早い段階でやる。それさえやっておけば、後は影になってはっきり見えないような暗い廊下をうろうろさせるだけでいいんです。そうすれば観客は、先ほど見せられたありえないような衝撃的な何かがいつまた起きるのかと、緊張で歯が砕けるまで待ち続けてくれますからね」。

エイリアンの恐ろしさはその行動の動機だ。エイリアンは私たちを操って悪いことをさせようとするのではない。エイリアンは交渉しない。アンドロイドの科学主任アッシュが劇中で、生き残った乗員を小馬鹿にしながら発した警告どおりだ。「自分たちが何を相手にしているのか、まだわかっていないのか？　あれは完全生物だ。完全無欠な構造と、それに見合った完全な敵意。惚れ惚れするほど純粋な生物だ。生き残るためだけに存在する生物。良心や罪悪感、道徳観の幻影に一切惑わされることはない」。

マーティン・J・ドアティはエイリアンのことを「異様で、威嚇的で、力も強く、人間に対して（様々な斬新な方法で）非友好的。しかも、今朝起きたときに『今日は悪いことをするぜ』と決めたからではなく、ただありのままに悪い。人間を餌とか宿主とか噛むおもちゃとしか思わない生命体が、広い宇宙にはいると考えると気味が悪い。しかも、お金で懐柔できない。頼んでも聞き入れてくれない。理屈が通じない。こういう、こちらのことをまったく考えてくれない相手というのは、とても恐ろしい。しかもエイリアンは、いわゆる敵意すら持っていない。ただ自分の方に来た獲物を自分の都合のいいように利用しているだけなんだ」。

そしてエイリアンは、映画史屈指の恐ろしいモンスターという座を今も維持し続けている。

モンスターの基本型

ゾンビ

アルファベットでは「zombi」または一般的に「zombie」と表記するゾンビだが、元を辿ればハイチの民話に行きつく。ブードゥーの儀式の中に、手練れの呪術師ならば死んで間もない人を動き回らせる術があると言われているのだ。のろのろと動き回る生きた死体だが、その魂は呼び戻されない。だからゾンビは召使として呪術師に好きなように使われる。

ハイチでは今でも「ゾンビ目撃」が報じられるので、この伝説を科学的に解明しようという試みはあった。研究者たちが注目したのは、複数の手製のドラッグだった。服用するとまずほぼ死んだ状態になり、続いて部分的に体が動かせるようになり、重度の幻覚を伴う精神障害を患うという作用を持つのだ。この薬を服用すると「歩く屍」になったかのように見えるのだが、生きた人の肉や脳を食べるゾンビが現実にいるということにはならない。

現実の世界でゾンビに似たものがあるとすれば、狂犬病だろう。狂犬病に罹った者は正気を失い、噛んだり引っ掻くことで病気を他の人に伝染させようとする。そして狂犬病に罹った者はほぼ間違いなく死ぬ。

ゾンビが実在するかどうかは別にして、ホラーの伝統の中で生ける屍が果たした役割は、最近まで意外にも小さなものだった。H・P・ラヴクラフトの作品等にその萌芽は見られるが、たとえばラヴクラフトの「死体蘇生者ハーバート・ウェスト」は、ゾンビというよりも、どちらかというとフランケンシュタイン寄りの話だった。

一体は聴いた者の神経が破壊されるような金切声を上げた。もう一体は乱暴に立ち上がり、私たちを二人とも意識を失うまで殴りつけ、精神病院に収容する以外に方法はないというほど手がつけられない凶暴性を発揮した。次の一体は見るだけで吐き気を催しそうなアフリカ人の化け物だったが、それは自らの爪を使って穴から這い出してきて暴れたので、ウェスト医師は撃たざるを得なかった。蘇生したときに何らかの理性の欠片が残っているほど新鮮な死体を確保できなかったので、このような名状しがたい恐ろしい顛末を招いてしまったのだ。私たちが創り出した怪物の中で一体、いや二体はいまだ生きているという考えが影のようにつきまとい気も狂わんばかりだったが、それもウェストが恐ろしい状況の中で失踪したことで収まった。しかし、人里離れたボルトンの山小屋の地下の実験室であの金切声を聴いたとき、極度に新鮮な実験体を求める気持ちが私たちの恐怖心を上回っていた。

現代のゾンビ伝説の誕生は、映画の都とは呼び難いペンシルヴァニア州ピッツバーグ出身の一匹狼の映画作家が、地元テレビ局で働く友人を集めて一本の映画を撮るまで待たなければならなかった。それが、今となっては伝説的なホラー映画の古典『ナイト・オブ・ザ・リビングデッド』だ。

『ナイト・オブ・ザ・リビングデッド』は、ハイチのゾンビ伝説の影響はほぼ受けていない。この映画のゾンビは、呪術やブードゥーの秘儀によって蘇生するのではなく、古くから伝えられるグールと呼ばれる生きた人間の肉を食う怪物と、伝染病のように感染していく何かをかけ合わせたものとして想像された。

ロメロの考案したゾンビは、死から蘇って人間の肉体を求める旺盛な食欲を持っている。ゾンビに噛まれたが食い尽くされずに済んだ幸運な者は、ほどなく死亡して自らもゾンビになってしまう。ゾンビはゾンビを生み出し、生み出されたゾンビはさらなるゾンビを生み出し、やがて世界はゾンビだらけになるのだ。

一九六八年に『ナイト・オブ・ザ・リビングデッド』が公開されて以来、何本かの続編が作られ、多くの模倣作品が作られた。ロメロのゾンビは、モンスターの基本型としては最も新しいものであり、そして最も人気の高い基本型の一つでもある。ピッツバーグ生まれのアマチュア映画作家の作った映画は、新たな神話として大くの人々に共有されるにいたったのだ。

最近のゾンビには、頭部か脳を破壊しなければ殺せないロメロ的なゾンビの典型に忠実なものもいる。典型的なゾンビは動きが鈍く賢くないのだが、ロメロの『ゾンビ』を二〇〇四年にリメークした『ドーン・オブ・ザ・デッド』は、いわゆる「ファスト・ゾンビ」を登場させ、ファンたちの間に論争をもたらした。

竜や吸血鬼と同様、ゾンビも誰でも使えるモンスターだが、モンスターの基本型を使うときはゾンビに限らず、きみ仕様にカスタマイズすることを忘れないように。脳を破壊しなければならないのか、それとも他の退治方法があるのか。ロメロの『死霊のえじき』にその萌芽が見られたように、知性を感じさせるゾンビなのか。それとも『ウォーム・ボディーズ』のゾンビのようにとても知的なのか。あるいは『28日後…』や『REC：レック／ザ・クアランティン』のように、狂犬病的な病原体の変異に侵された被害者なのか。

それとも、私が吸血鬼に飽き飽きしているように、きみも歩く屍はちょっとお休み、と思っているかもしれない。アラン・ディーン・フォスターに同じことを尋ねてみたところ、返ってきた答えは「ゾンビは……しばらく死んだままでいいと思う」。

現実世界のモンスターたち

恐竜

正体不明の天体、恐らく小惑星か彗星、が地球に衝突して絶滅するまでは、この惑星はモンスターに支配されていたのだ。

歴史的文献から明らかなのは、少なくとも二千年前には恐竜の骨の化石が発見されていたが、近代的な科学的手法によって鑑定された最初の恐竜は、一八二四年にウィリアム・バックランドによって命名されたメガロサウルスだ。それは古生物学という新しい学問の誕生でもあった。以来、地球上の陸地は恐竜ハンターたちによってくまなく調査され、現代棲息するどの動物よりも巨大な生物たちが闊歩する、かつて存在した豊かな生態系が発見された。しかもその生物たちは大きいだけではなく、牙が生えていたのだ。

古生物学は、化石として残されたもの以外に調査対象が存在しないので、厳粛でありつつも難しい学問だ。こういうものだとされていた恐竜像がしばしば変更されるのも無理はない。恐竜に関するノンフィクションの本を書こうというなら、本気でリサーチに没頭する覚悟が必要だが、現実に存在した恐竜というモンスターをちょっと拝借して何かを書こうというなら、ここに紹介するラヴクラフトの「時間からの影」のように、ちょっと適当でも問題ない。

暖かく広大な海洋の果てには、大いなる種族が作ったそれ以外の都市群があった。遥か遠い大陸の一つで私は、口吻《こうふん》が黒く羽根を持った生物が作った原始的な村を見た。この生物たちは、にじり寄る恐怖から大いなる種族が逃れるために、遠い未来にその最高の精神を送り出した後の世界で、支配的な種族に進化することになる生物だった。そこは常に、平坦で緑溢れる風景に満ちていた。山々は低く疎らで、ほとんどの場合火山活動の痕跡が見られた。

　この目で見た動物たちに関してなら、何冊でも本が書ける。機械化文明を達成した大いなる種族は家畜を飼育することをやめ、植物か合成食料を食べるようになって久しかったので、そこにいるのは野性動物だけだった。爬虫類が巨体を揺すりながら蒸気を上げる泥沼の中で不器用にもがき、濃い大気の中で羽ばたき、海や湖の中で潮を吹いた。これらの動物たちを見ていると、恐竜、翼竜、魚竜、迷歯亜綱の竜、首長竜といった、古生物学によって人々が知るにいたったものの原型が見えるようで楽しかった。鳥類や哺乳類に関しては、一頭たりとも見つけることができなかった。

多くの恐竜は、見ればそれと認識できる。ティラノサウルスやトリケラトプスの姿を想像できない人などいないはずだ。でも、六五〇〇万年かそれ以上昔の生き物に想像力の源泉を求めるなら、しかもそれを解明する科学がまだ発展途上なら、遥か昔に絶滅してしまった動物たちに、きみなりの解釈を加えていけないという理由はない。

恐竜版『風と共に去りぬ』とでもいうべきマイケル・クライトンの小説『ジュラシック・パーク』★02から、憐れなネドリーがディロフォサウルスとの面倒に巻きこまれる場面を読んでみよう。

> その恐竜は一二メートルほど離れた、ヘッドライトの光がちょうど届かなくなるあたりに立っていた。ネドリーはツアーに参加していないので、色々な種類の恐竜を見たわけではなかったが、それでもこの恐竜の奇妙な風体には目を見張った。三メートルにおよぶ黄色い体には黒い斑点があり、頭には一対の赤いV型のとさかがあった。恐竜は身じろぎもせずに、もう一度フクロウのような柔らかい声を出した。

残念ながらネドリー氏の運はここで尽き、この小さな恐竜に酸性の毒を吐きかけられる。最初は気持ち悪いとしか思わなかったネドリーだが、恐竜は今度は彼の目を狙うのだ。

> 気がついたときにはすでに手遅れだった。ネドリーは痛みに耐えかね、方向感覚を失い、ぜえぜえと荒く息をしながら膝をついた。体を横にして倒れた彼の頬が濡れた地面に押しつけられ、絶え間ない悲鳴のように襲いかかる痛みの合間に、彼の呼吸がひゅう、ひゅうとか細く漏れた。痛みのせいで、固く閉じた瞼の裏に光の点々が見えた。
>
> 　ネドリーの体の下で地面が震えた。あの恐竜が動いているのがわかった。ほう、ほうと柔らかい声が聴こえた。ネドリーは痛みを押して目を開いたが、相変わらず暗闇に光の点々がちらつくだけだった。じんわりと、彼は理解した。
>
> 　彼の目は見えなくなっていたのだ。

そして、恐竜は生きたままネドリーを食べるのだった。

怖いのは確かだが、ディロフォサウルスが毒を持っていたという確かな科学的証拠も、開閉可能なエリマキを持っていたという証拠もない。一億九〇〇〇万年から二億年前、ジュラ紀に棲息していたのは間違いない。実物のディロフォサウルスは、映画翻案版に登場したそれより大きく、クライトンが書いた小説の描写に近い。恐らくスティーヴン・スピルバーグは、実物は二メートルどころか六〇センチ足らずだったヴェロキラプトルを大きくして映画に登場させたので、ディロフォサウルスを小さくして釣り合いをとったのかもしれない。実際のヴェロキラプトルには羽毛があった可能性も高い。

恐竜は現実世界に存在した動物ではあるが、吸血鬼の特徴を調音卓のダイヤルで調節したように、恐竜も自分の好きなように調節して構わない。スティーヴン・キングがセント・バーナードをモンスターにできる以上、マイケル・クライトンがディロフォサウルスに毒を吐き出させられない道理があるだろうか？ もちろん、ない。

私たちはフィクションを書いているのだ。ならば楽しく書かねば。

未確認生物
チュパカブラ

未確認動物学者によって研究されてきた「実在」することになっているモンスターたちの中でも、ラテンアメリカで悪名高い「ゴートサッカー（山羊の血を吸うもの）」より奇妙なものはいないだろう。エイリアンのようでもあり、犬のようでもあり、ヒューマノイドのようでもあるこのモンスターの目撃報告は、一九九〇年代に吸血鬼に血を吸われたかのような小さな一組の穴がついた大量の家畜（そのほとんどが山羊）の死骸が発見されてから、一気に増えた。

目撃の情報はメキシコから中央アメリカ、さらにはカリブ諸島、特にプエルトリコにいたる範囲で頻繁に寄せられ、いずれも異星生物に似た姿が報告された。恐らく、あろうことか、映画『スピーシーズ　種の起源』（一九九五）に登場した異星生物に触発されたのかもしれなかった。

目撃証言によるとこの小さな生物は一メートル弱で、二本脚で立ち、頭部は古典的な異星人「グレイのエイリアン」に似ているということだった。グレイの目は黒だがチュパカブラの目は真っ赤で、鼻腔が二つあるが鼻の隆起はなく、口には薄い唇がある。グレイのエイリアンと違うのは、背中が長い棘で覆われていることと、手には水掻きがあり、指先には尖った鍵爪があることだ。

ここ十年以上に渡って、農民やハンター、そして…敢えて「冒険家」と呼んでやるが、そういう人たちがチュパカブラを捕獲または殺したと名乗りを上げてきた。『ビッグフットを探せ』の撮影隊が羨ましがるに違いない。しかし捕獲された動物を調べてみると、それはいずれも毛包虫症や疥癬等の皮膚疾患を患って毛が抜け落ちた犬かコヨーテなのだった。毛包虫症を患う――コヨーテの「モンスター」が、もちろんそれはモンスターでも何でもなく、イヌ科の動物に一般的に見られる疾病を患う可哀想な個体にすぎない。

それでも、一度チュパカブラのような生物が大衆の意識の中に入りこむと、科学的な理屈だけで簡単に「いない」と断じることができなくなる。こうして「ゴートサッカー」は、未確認動物学者たちのお気に入りのおもちゃ箱になった。ビッグフットのようにチュパカブラも確認されていない実在の動物の一種だと言う者もいれば、次元を超えて、または地球外から来た知性的生物と言う者、その両方だと言う者すらある。

実際にそれが何であろうと、私たちにはあまり関係ない。私たちにとって重要なのは、もしかしたら人間並みにずる賢くて、砂漠に潜んで血を求めて獲物を探す小さな吸血性のモンスターとしてのチュパカブラだ。きみがチュパカブラを創作するなら、それを勘違いされた野生の捕食動物にしても構わないし、変異した宇宙生物、病気に罹った宇宙生物、またはゾンビ化した宇宙生物でも何でも構わない。ちょっとネットで調べれば、色々なアイデアが転がっている。

さあ、皆で山羊の血を吸おう！

モンスター的な諸々
核爆弾

最初の核爆弾は、製造した科学者たちに単に「ザ・ギズモ（例の仕掛け）」と呼ばれていた。「例の仕掛け」は一九四五年七月一六日に起爆させられた。ほんの三週間後、似たような仕掛けが「リトルボーイ」と名づけられ、広島上空に投下され、爆発した。爆心地から半径四〇〇メートルにあったものは一瞬にして蒸発し、六万六〇〇〇人もの命が奪われた。

SFやファンタジーの世界でも、これだけの損害を一瞬のうちに与えたモンスターを、聞いたことがない。

しかし、原子爆弾にはモンスターと呼ばれる資格があるのだろうか。ここでモンスターの定義を思い出してみてほしい。「ある文明を構成する意識を持った人たちにも、またはその世界に一般的な動物相にも植物相にも属さない生物。種は問わない」。

ベストセラー作家のリチャード・ベイカーによると「核爆弾というものがモンスターになるのは、自滅の衝動を抑えられない人類の比喩として捉えられるときだけだ。『博士の異常な愛情』（一九六四）や『続・猿の惑星』（一九七〇）のようにね」。

そう考えると、核爆弾もゾンビの群れと似たような意味でモンスターなのだ。使用された後と同じくらい、その存在自体が人間の中に秘められた善と悪を炙り出す。しかも比喩としても機能する。

しかし、それは核爆弾でなければならないのだろうか。

「核爆弾でなければうまくいかないかと言えば、そうでもないと思いますが」とリン・アビーは語る。「でも、核兵器というものに対して読者が持ちこんでくれる動かしがたい期待感というものがあります。私自身について言えば、拭い難い記憶があります。お父さんが仕事から帰ってくる前に核爆弾が落ちたらどうしようと、夜まんじりともせずにベッドで横になっていたことを思い出すだけで、あっと言う間にお話が作れますよ。でもそれは回顧録で、小説ではないですね」。

冷戦が続いていた長い年月の間、色々な物事が核による全滅の脅威によって定義づけられていた。核爆弾が広島と長崎にもたらした破壊を目の当たりにした以上、その影響を無視することも、その恐怖を軽んじることも不可能だった。そして、核爆弾は瞬く間にモンスターというイメージをまとい始めた。原子爆弾の発明者ということで「名声」を得てしまったロバート・オッペンハイマーが、原子爆弾の最初の試験が成功したときに「バガヴァッド・ギーター」から引用した一節は有名だ。「我は死神、世界を破滅させる者になった」。それ以来、それまでは凶暴な猛獣にしか使われなかった言葉が、核兵器に使われるようになった。「私たちは、核の脅威を解き放ってしまうのだろうか?」

フィリップ・K・ディックは一九五三年の短編「変数人間」で、太陽系から最も近い恒星プロクシマ・ケンタウリから来た敵との、終わりなき揉め事に巻きこまれた未来の地球を想像した。そして、優秀な科学者が、半分兵器半分モンスターといった趣のロボット巡行ミサイルを開発した。

「イカロスは研究所の外、地表から発射される。彼は急速に加速しながら、自らの意思によってプロクシマ・ケンタウリに向かって一直線で到達するようにコースを調整する。目標に到達する頃には、彼は超光速一〇〇というスピードで巡行している。イカロスは、ケンタウルス星系の内部から我々の宇宙に引き戻される。その爆発によって、ケンタウルス星系内のほとんどの惑星は破壊されるはずだ。その中核たる惑星アルムンも例外ではない。彼らにイカロスを止める手段はない。防衛は不可能だ。彼を止めることはできない。それが事実なのだ」。

「イカロスの準備ができるのは、いつか？」

シェリコフは目を瞬かせた。「ほどなく」。

この話を書くにあたって、フィリップ・K・ディックの関心は爆弾そのものではなく、嬉々として爆弾を使用したがる、あるいは使用を躊躇する人間の本性に向いている。核爆弾というのは、何千、何万という人間を一瞬に殺してしまえるという邪悪さを人間の心から引き出す「モンスター」だということだ。人里離れた山小屋で若者が二、三人殺されるのとはわけが違う。その邪悪な人物が、もし十分な数の兵器を揃えてしまったら、人類を皆殺しにできるわけだ。この災害系モンスターに負けた場合に人間たちが失う代償は、最高レベルのものになる。つまり人類滅亡だ。

★01——"Dan O'Bannon and the Origins of Alien" (www.tested.com/art/movies/458897-danobannon-and-origins-alien)

★02——Michael Crichton, *Jurassic Park*, Alfred A. Knopf, 1990.（邦訳＝マイケル・クライトン『ジュラシック・パーク〈上〉』、酒井昭伸訳、早川書房、一九九一年、三一三―三一四頁）

結論——

モンスターよ、永遠に！

モンスターの人気は衰えることを知らない。モンスターはどこにでも出没している。映画にも、テレビにも、書籍にも、グラフィック・ノベルにも、マンガにも、ゲームにも、スマホのアプリの中にも……あらゆるメディアの中で這い回っている。

ダークホース・コミックスのライターであるスコット・アリーに、どうして皆モンスターが好きなのかと聞いてみた。「私の場合は、人間というものを好きかどうか確信がないからだよね。モンスターがその理由を教えてくれる」。

ジェラルド・ジョーンズは自著『Why Children Need Fantasy, Super Heroes, and Make-Believe Violence』[★01]で、子どもたちとメディア上の暴力表現について次のような提言をしている。これは大人にも当てはまると私は思う。

私たちは、物語を畏れるように育てられています。新聞の社説や、教師育成セミナーや、小児科に置いてあるチラシには「暴力的な物語や娯楽に対する興味関心」を示す子どもには、暴力的な行動に走る潜在的可能性があると書いてあります。確かに暴力的な子どもは、そういうものに関心を示すでしょうね。でも、自分が抱えるやり場のない怒りや無力感を、暴力に訴えずにコントロールしようともがいている子どもたちも、同じなんです。たとえば、他の子を苛める子どもや、彼氏や彼女に乱暴な言動を浴びせる子ども、些細なことで怒りを爆発させる子ども、動物に残酷なことをしたり、残酷なことを自慢げに語る子ども、いつまでも恨みを引き摺る子ども、物を壊したり、特定の誰かに対する復讐を夢想して文章に書いたり、自傷行為をしたり自殺を仄めかしたりする子どもの場合なら、暴力的な物語に対する関心が、実際の暴力や自傷行為に発展するかもしれません。でも、物語そのものは、子どもたちが感情を表現する方法であり、話を聞いてくれる相手を求める気持ちの現れなのだと思います。

児童文学者ニナ・ヘスが、次のようにまとめてくれる。「ちょっと怖いけど、怖すぎないのがモンスター。たとえば映画のように、安全な環境と文脈の中で、子どもたちに怖がるというスリルを与えてくれるのがモンスター。怖いというのは楽しいのですよ！　しかもモンスターは格好いいし強い。子ども時代というのは自分の力が及ばない物事だらけだから、誰をも従わせる力を持ったモンスターという存在は抗しがたい魅力を持つわけです。子どもたちは恐竜が好きでしょう？　虎とか。理由は同じですよ」。

モンスター漬けで育った私だが、ちゃんと大人になった。いや、ちゃんとどころではない。自分の想像力を否定せず、身の回りの物に対する興味を失わず、科学や歴史といったものに対する関心を無くさずに育つことができた。いずれも、英雄と悪漢や、宇宙船とロボットが出てくる物語に欠かせない栄養素だ。そしてモンスター。これに関してはちょっとやそっとでは負けない自信がある。

そして今、ガントレットは投げられた。私たち世代の想像力が挑まれているのだ。モンスターはどんどん奇妙さを増している。いや、何から何までどんどん奇妙さを増している。それは独自性を求めて行きついた帰結なのだ。その極北に宮﨑駿の奇妙な形而上学的お伽話や、ギレルモ・デル・トロの心をざわつかせる悪夢の世界があるのかもしれない。「トワイライト」や『クローバーフィールド／HAKAISHA』(二〇〇八)が、既視感の組み合わせによってもたらされた新しいものだったとしたら、それは私たちの想像力はモンスターを具現化する技術のとてつもない発達に追いつけていないということかもしれない。

ファンタジーも、SFも、ホラーも、保守的になり得る。とは言っても、フォックス・ニュースのような意味での保守ではない。少なくとも出版側が求めるファンタジーは、自分たちの小さな世界の内側で閉じるようなものが多すぎる。舞台は中世、王様がいて、困っているお姫様がいて、英雄が助けにいくのがお約束。お馴染みのクエスト系ファンタジーはどれも、まず志を同じにする仲間を集めて、悪者を倒しにいく。突き詰めれば大異小同なのだ。

ＳＦの場合、年々シニカルさを増しながら、しかも空想と比較して科学の方に力点を置きすぎる。そして映画に求められる活力が不足している。ＳＦ小説を読む楽しさを思い出してほしい。最後にそんな気持ちになってから久しい。

ホラーに対する一般的なアプローチも同様だ。皆が怖がるのは子どもとピエロ。定番だ。スティーヴン・キングの作品を俯瞰してみると、あのキングですら、子どもをモンスターにした作品が多数存在する。自身も子の親であるスティーヴン・キングが子どもをモンスター扱いするのは、妙なことではない。ほとんどの父親というものは、全方位的に子どもを恐れているのだ。私だって自分の子どもは怖い。

『エイリアン』は自分より上位の捕食者の話である以上に、子どもを生み出すことへの恐怖を描いた映画だ。そいつは、苦痛を伴って血まみれで破裂でもするように体内から飛び出してきて、家族を破滅に導き、家を滅茶苦茶にし、生計を脅かす。子どもというのは末恐ろしいもので、しかも自分で出産したわけでもない男性は、体内から血まみれで飛び出してきた気持ち悪いそれを自然に受け入れる衝動すら持っていないので、慈しんで育てるのも一苦労だ。そして身を挺して出産のプロセスを体験しなければならない女性が出産をどう思うか、想像すらできない！　単純な見方をすると、子どもというのは私たちに突きつけられた責任の塊で、しかも常に何かを要求しながら貯金が底を突くまで食べて食べて食べまくるものなのだ。やがて子どもは思春期に達する。親の世話にならなくても自分のことは自分でできると信じたいけど、実際にはそうもいかないという年齢に達し、親を馬鹿にして、寝室のドアをこれ見よがしに音を立てて閉めるようになる。世の男たちは妻を探して「子どもが欲しいとか、つまらない計画を立てたもんだよね。ちょっと戻ってやり直さない？」と相談したくなるのだ。

でも、私はモンスターを愛しているのと同じ理由で、自分の子どもたちを愛している。肝が冷えるほど怖がらせてくれるし、驚かせてくれるし、悦びをくれるし、楽しませてくれる。しかも創造性まで刺激してくれる。

つまり、こういうことだ。私は、モンスター役に自分の子どもたちを配役したわけだが、要するにモンスターというのは奇妙だからモンスターなのではない。私たちを怖がらせ、興奮させ、喜ばせてくれるものなのだ。モンスターは教訓、寓話、教師、そして警告だ。私たちの想像するものがより具体的に実現できる世の中になったとしても、モンスターの形はいつも変わり続ける。そして最高のモンスターは、いつも心に訴えたい何かを持った人たちによって創造されるのだ。

さて、きみが創作するモンスターは、きみという人間の何を見せてくれるだろうか。

★01——Gerard Jones, *Why Children Need Fantasy, Super Heroes, and Make-Believe Violence*, Basic Books, 2002.

これから読んでいただくのは、一九二三年九月に執筆され、一九二五年七月にかの有名な「ウィアード・テールズ(Weird Tales)」誌に掲載された、古典的なモンスター譚だ。いささか古風な、いや今日の基準で見れば大仰とも言える執筆様式は、まさにラヴクラフト的としか言いようがない。古風だが、ホラーというジャンルに欠かせない作品だ。ここまでにもラヴクラフトの著作から素晴らしい見本を引用させてもらったが、ここで彼の作品を丸ごと一本読んで、本書で言及された様々なヒントがどのように一本の作品を構成する部品として機能しているか、確認してみよう。

名状しがたきもの

H・P・ラヴクラフト＝著

ある秋の日の午後遅く、アーカムの町にある死者を埋葬するこの場所で、私と友人は一七世紀に建てられ今はすっかり朽ち果てたような墓に座り、「名状しがたきもの」について推論を交わしていた。墓所内にある柳の大木の巨大な幹が、彫られた名前も擦れて読めないような墓石を一つ完全に呑みこまんばかりにそびえていた。壮大に張り巡らされたその根は、この淡い灰色の、死が沁みこんだ大地から形容しがたいような霊的な滋養を吸い上げているに違いないと、私は柳を見ながら現実離れした提案をした。対して友人は、一世紀以上も埋葬が行われていないのだから、木が吸い上げるべき普通の滋養以外の何かであるはずはないと、私をたしなめるのだった。さらに友人は、先ほどから私が口にしている「名状しがたい」何か、そして「形容しがたい」何かなどと言うのは、私程度の物書きに相応しい実に幼稚な仕掛けに過ぎないと付け加えた。[01] 私が書く物語はどれも、主人公が何かを見た、または聴いた結果、身も凍りつかんばかりの恐怖に、自身の体験について語る勇気も言葉も失い、何かにたとえて伝える連想すらもできぬほどの衝撃を受けて幕を閉じる。そのような結末を私が好み過ぎるとも友人に言われた。我々人間は、五感または本能が感じ得るものだ

[01] ラヴクラフトといえば、その大仰な修飾表現が愛されると同時に批判の対象になってきたので、ここにあるような自己言及は興味深い。ラヴクラフトの研究者たちは彼の作品群から「お気に入り」の表現を抜き出してリストを作成しており、本書の「モンスター用語の手引き」に収録した。

けを理解するのだ、と彼は続けた。故に、間違いなく定義づけられた事実や、正しい神学理論によって明快に描写され得ない物体や現象について話をすること自体がそもそも不可能なのであると。その神学理論が会集派教会の教義に則っていれば、さらに伝統とアーサー・コナン・ドイル卿によって修正を受けたものであれば尚結構、と言うのだ。[02]

このジョエル・マントンという友人と私は、疲弊の末に眠気を催すような議論をしばしば戦わせた。東高校の校長でボストンで生まれ育ったこの男は、人生に秘められた機微に対して一切耳を貸さずとも気にも留めないという、ニューイングランド気質を備えていた。美について語る上で重要なのは客観的で平凡な体験のみであり、芸術家の領分は日々日常の物事を正確で詳細に書き写すことによって、美に対する穏やかな興味と理解を促すことであって、激しい動きや恍惚感、そして驚愕の気持ちによって強烈な感情を掻き立てることではないというのがマントンの持論だった。私が神秘的なもの、説明不可能なものに深く心を奪われていることに対して、彼はとりわけ強く反論した。実は私以上に超自然的な現象を信じているにもかかわらず、そのような現象は文学に相応しい尋常さを備えていないと

02　ここでラヴクラフトは、本書で考察した「人は自分を取り巻く世界をどのように認知するのか」というトピックをわかりやすく強調してくれている。登場人物も読者も結局は人間である以上、同じ五感に頼るわけだが、ラヴクラフトは五感以外の要素をここで披露してくれる。それは何十年にも渡って自身の作品群を他に追随を許さない存在せしめた要素でもある。モンスターが登場人物に対して持つ心理的、感情的そして精神的な効果について言及することで、人間は単に受動的な傍観者として世界を認知すると言い切る友人に、疑いの眼差しを向けるのだ。

いう理由で、彼はその価値を認めようとしないのだ。人の心にとって至高の悦びは日常からの逃避にあり、そして日々の習慣と疲労によってありきたりでお定まりの型に押しこまれてしまうイメージを、他に無いような劇的な方法で再構築することにこそあるのだという事実は、この男の明晰で現実的かつ論理的な知性にとっては信じがたいに等しかった。彼によると、すべての物質と感情には決まった寸法があり、性質があり、原因と結果があることになっていた。人の精神というものは時としてそれほどはっきりとした形を持たず、分類できないこと、そして機能的に運用されるとは限らないことは、彼も薄々感じてはいるのだが、それでも平均的な人々にとって体験も理解もできない物事をあり得ないと決めてつけてしまえる独断的な正当性が自分にはあると、彼は信じていた。加えてこの男は、「名状しがたい」などということがあり得るはずはないと、ほぼ確信していた。彼の分別がその言葉が持つ響きを許さないのだ。[03]

ぬくぬくとした陽の光の中の暮らしに充足し、お定まりの思考に盲従する男を相手に、想像上の話や霊的な物事について議論するのは徒労だとわかってはいるのだが、普段とは違ってその日の午後に交わされた会話に

✣03 ニューヨーク・タイムズ紙が選んだベストセラー作家で『A Practical Guide to Monsters』の著者でもあるニナ・ヘスは、「モンスターは普遍的な恐れの気持ちや欲望の具現で、モンスターが登場する話はそのような普遍的な感情を表に出す必要性に直結している」と言っている。そう考えると、モンスターというものは、私たちが何者で、何者になりたがっていて、自分自身の、そして他人の中に潜む何を恐れているのかという謎を整理してくれる存在なのだ。

は、私を喧嘩腰に奮起させる何かがあった。ぼろぼろに朽ちた墓石の列、長老のごとき威圧的な古い木々、そして墓所の周囲に広がる、この魔女に呪われた町に連なる齢何百年という腰折れ屋根の家々が組み合わさった景観が、私の心に自分の作品を守る気概を呼び覚ました。やがて私は、武装して敵陣に突撃していった。実際、逆襲の口火を切るのはそれほど難しいことではなかった。このジョエル・マントンが、年老いた主婦たちが信じるような迷信、洗練された人々がとうの昔に子供騙しと切り捨てたような迷信に、いまだにしがみついていることを私は知っていたからだ。例えば、遠くで死にそうになっている人が目の前に現れるとか、生きている時に窓から外を見つめていた昔の人の古の顔が、残像のごとく窓に映って見えることを、彼は信じているのだ。[04] そのような現象を囁くように静かに信じている田舎の老婆たちの名誉のために、この世には物質と同時に霊的なものが存在し、物質が消滅した後でも霊的なものが残るという私の信念を強弁した。普通とされるすべての観念を超えた現象を信じる能力について根拠を示したのだ。つまり、死んだ男がその像または姿を、地球の反対側に、あるいは何百年もの時を超えて現すことが可能だというなら、廃屋が

[04] ここでは、ラヴクラフトが「幽霊」と書かずに幽霊に言及している遊び心溢れる技に注目してほしい。幽霊の話だということを読者はわかっているのだが、「私の友人は幽霊を信じている」と敢えて端的に書かないことで、幽霊の気味悪さを醸し出している。

常に奇妙な感覚で満ち、実体の無い何世代もの不気味な知性が古い墓場に溢れていることをどうして馬鹿馬鹿しいと言えるだろうか。霊の仕業とされる様々な所業が物質的な法則に縛られずに行われる以上、霊的に生きている死者たちの姿形、あるいは姿形の不在は、人間にとって怖けるような「名状しがたきもの」でしかありえないと想像することの、何が大袈裟であろうか。「常識」などと言う馬鹿げたものは、想像力と精神的な柔軟さの欠如以上の何ものでもないのだと、私はこの友人に幾分かの暖かさをこめて確約した。

時はすでに日暮れ近くであったが、私も友人も喋るのをやめようとはしなかった。マントンは私の議論に感心したふうも見せず、逆に反論したくてうずうずしているようだった。この根拠なき自信をして彼が優秀な教師たり得たのは間違いなかった。一方私も、持論に強い確信を持っていたので、言い負かされることはまったく恐れていなかった。夜の帳が降り始め、遠くの窓に明かりが微かに灯っても、私たちはその場を動かなかった。墓石という腰掛は心地よく、私たちの背後には絡みついた木の根に深く穿たれた亀裂が走る古い煉瓦の壁が迫り、打ち捨てられ倒壊寸前の一七世紀の家々が近くに並ぶ街路灯の明かりを遮って周囲を漆黒の闇に包んでいた。しかし、この面白味に欠ける友人がそのようなことに怖気づくような男ではないことを、私は知っていた。この闇の中で、荒れ果てた家の傍らにあるひび割れた墓石の上で、私と友人は「名状しがたきもの」についての議論を続けた。彼が私を小馬鹿にし終わると、私はさらなる冷やかしをもって迎えられながら、自分が書いた物語が真実であるという恐ろしい証拠を提示した。

その物語は題を「屋根裏部屋の窓」といい、一九二二年一月の「ウィスパー」誌に掲載された。南部や西海岸では、度胸の無い腰抜けどもが文句をつけたお陰で店頭から雑誌が取り下げられたが、ニューイングランドの人たちは身震い一つせず、肩をすくめて私の書いた大仰な物語を取るに足らぬといいなし、そもそも書かれているようなことは生物学的にあり得ぬものだと宣告した。コットン・マザー[05]が混沌たる自著『Magnalia Christy Americana(アメリカにおけるキリストの偉大なる所業)』の中に疑いもせずに不用意にも詰め込んでしまったような田舎の戯言が、性懲りもなくまた出てきた、この作者は文中に綴られた恐ろしい出来事が起きた場所すら明確に

[05] コットン・マザー(一六六三－一七二八)は強い影響力を持った清教徒の教役者で、悪名高いセイラム魔女裁判の精神的指導者だったと信じる向きもある。マザーに言及することで、ラヴクラフトはこの物語の歴史的文脈の足場を固めている。

できないほど、信憑性の欠片もないではないかと言うのだ。さらには、私の文章は、たかが古臭い落書きのような怪奇譚を大袈裟に綴ったあり得ない文章であり、それはまさに仮説だけで無責任な文を書く趣味人の特徴であるとすら言うのだ！　確かにマザーは怪しげな何かが生まれ出たと書いた。しかし、成長したそれが夜な夜な人の家を窓から覗き、どこかの家の屋根裏にその身も魂も幽閉された挙句、何世紀も後にその家の窓のところにそれが居るのを見た人が、描写もできない恐怖を覚えて髪が真っ白になったなどということを考えるのは、安っぽい煽情主義者以外にはありえない、これが目に余る低俗さでなければ何だというのか、とまで言った。

そして我が友マントンは、何の躊躇もなく同じ点を強調した。続いて私は、今私たちが座っているここから一哩も離れていない場所で、親族が残した書簡の山から私が見つけ出した一七〇六年から一七二三年の間に書かれた古い日記の話をした。さらに、その日記には私の祖先が胸と背中に負った傷の詳細が記されており、それが実際に起きたということも。[06] 加えて、この地域に住む人々が抱いていた恐怖や、彼らの間に何世代にも渡って密かに伝えられてきた秘密について話した。そして一七九三年に何かが

[06] ここでラヴクラフトは、伝説的な怪物の正体を明かすずっと前に、その恐るべき力が残した「結果」を描写している。読者に怖いと思わせるのは、究極的には鱗やべとべとや棘ではなく、痛み、身体的損壊、そして死なのだ。

残した痕跡を探してある廃屋と化した屋敷に侵入した少年が狂気に襲われたのは、ただの噂ではなかったことも、話した。

それは実に奇々怪々なことだった。[07] 清教徒たちの時代にマサチューセッツで起きた諸々について学ぶ者たちが身震いするのは、当然のことだ。人目を避けて行われた数々の所業の中で、知られているものはあまりに少なかった。あまりに少なかったが、その微かな膿は腐敗しながら時折表面に浮かび上がり、そのおぞましい正体を垣間見せた。魔女と魔術に対する恐れの気持ちは、人々の抑圧された脳内にふつふつと煮えたぎっているものを照らす一条の恐ろしい光だったが、それすら些細なことにすぎなかった。そこには美もなければ、自由もなかった。その微かな膿は、当時の建築物や普通の家々の名残りに見られた。清教徒の聖職者たちが自由に喋ることはなかったとはいえ、その有害な説教の中にも膿は見てとれた。そして、この錆びた鉄製の拘束着の下に隠されるように、戯言のようなおぞましさが、背徳が、そして悪魔の所業が蠢いていたのだ。これこそ、まさに「名状しがたきもの」の極みというものだ。[08]

コットン・マザーが書いた本の悪魔のように恐ろしい六巻目は、日が暮

✣07 ここ〔原文〕で使われる珍しい言葉「eldritch」は、ラヴクラフト愛好者にはお馴染みの表現だ。一六世紀スコットランドの言葉で、「霊的な」または「奇妙な」という意味だ。

✣08 ラヴクラフトは、ここでもモンスター自体ではなく、モンスターを取り巻く状況を描写している。この文章を使ってラヴクラフトは、ニューイングランド地方の清教徒たちが隠してきた恐ろしい秘密という、社会的そして歴史的文脈を物語に滑りこませている。これにより、どんなに慎み深く上品で教養溢れるように見える集団でも、その裏には何らかの腐敗が潜んでいるという、人々の共通認識に訴えかける。

れてから読むような本ではないが、そこで彼は自身が忌み嫌うものを何の婉曲も修辞もなしに書き殴っている。ユダヤ教の預言者のように厳格に、そしてマザー亡き後も今日に至るまで誰にも成し得ないような悠々たる簡潔さをもって、マザーはその獣について書いた。畜生以上の者であるが人とも呼べない、醜く傷ついた片目を持つ獣。そして同じように醜く傷ついた片目のせいで絞首刑に処された喧しく怒鳴り散らす酔っ払いの外道について書いた。マザーはあからさまかつ饒舌にそう書いたものの、その後起きたことについては仄めかしすらしなかった。何が起きたか知らなかったのかもしれないし、敢えて明かさない方が賢明だとわかっていたのかもしれない。[09] 土地の人々は何が起きたか知っていたが、敢えて明かすことはなかった。子供も無く、淀んだ怒りを湛え失意に沈んだ老人が一人で住んでいる屋敷の屋根裏部屋の扉には、錠前がかけられているという土地の人々の噂があり、そしてその老人が誰も寄りつかないような墓地に名の刻まれていない墓石を建てたという噂も絶えなかった。だがその理由を仄めかした文献すら存在しない。しかし、掴みどころのないような数々の言い伝えをたどっていくと、微かな血の味を嗅ぎ分けることは不可能ではなかっ

[09] ここでラヴクラフトは、彼自身が書く「名状しがたきもの」の存在を、別の作家の作品を使って固めながら、架空の出来事でしかありえない事件が事実と理解された時代の文章を使って、現実と空想の境を混乱させていく。

た。[10]

すべての証拠は私が発見した祖先の日記の中にあった。醜く傷ついた片目を持ったそれが、夜窓に映っているという話が、あるいは人里離れた森の傍らにある牧場に居るという噂が、言い伝えの中に囁き声のように暗示されている。暗い谷間の道で私の祖先に襲いかかった何者かは、彼の胸に角の傷痕を、そして背中に猿のような爪痕を残した。踏み荒らされた周囲の地面に手がかりを探すと、先端が割れた蹄のような跡に混じってどこか人を思わせる足跡も見つかった。[11] 郵便配達夫が、まだ月光の薄明りに照らされた夜明け前のメドウヒルの丘で、大股で歩き去る得体の知れない何かを呼び止めようと追いかけている一人の老人を目撃したと証言し、多くの人々はそれを信じた。そして一七一〇年のある晩、子供も無く失意に沈んだ老人が自宅の裏にある穴倉に埋葬された。それは例の名の刻まれていない墓石が見える場所だった。屋根裏部屋の扉にかけられた錠前が外されることはなく、屋敷はそのまま残され、寄りつく者もなく畏れられた。屋敷から何かの音が聴こえたときには、人々は気味悪がって噂し、扉にかけられた錠前が頑丈であることを祈らずにはいられなかった。そして、牧師館

✣**10** モンスターというものは単なる「異者」ではなく、明かしてはならない身内の秘密なのだというラヴクラフトの考えが、ここで明らかになる。モンスターとは「皆が隠そうとする秘密」であるというラヴクラフト以前において一般的だった考え方は、現在も存在する。それが何らかの障害を負った子供を隔離してきた歴史に端を発しているのは、疑うまでもない。

✣**11** モンスターは誰も見たことがない動物として定義されることがあるが、このモンスター襲撃も私たちが見知っている動物と私たちが認識できる特徴によって描写されることで、襲撃の痕跡に納得のいく説明を求め、もしかしたら見たこ

で恐怖が解き放たれ、そこにいたものが一人残らずばらばらに引き裂かれて死んだとき、誰もが祈るのを止めた。年月が経つにつれ、言い伝えは幽霊話の性格を帯びていった。それが生き物であったと仮定し得るなら、それは恐らく死んだのだった。残された忌まわしい記憶は消えることなくまとわりつき、真実が隠されるほどに、残された記憶の忌まわしさは度を増していった。[12]

以上のことを私が語っている最中、我が友マントンはすっかり静かになった。私の言葉が気になっているのがわかった。私が喋るのを止めても、彼は嘲笑しなかった。そして好奇心を露わに、私の書いた物語の主人公ということになっている一七九三年に正気を失った少年のことを、真剣な顔で尋ねた。私は、どうして少年が誰も寄りつかない屋敷をわざわざ訪れたのか語った。恐らく少年は、側に座った人の潜像をいつまでも留めておく窓に好奇心を刺激されたのだろう。少年はあの恐ろしい屋根裏部屋の窓に映る人影の言い伝えを聞き、その窓を見に行った。そして狂乱の叫びを上げながら帰ってきた。

思慮深げに聞いていたマントンだが、やがて分析的な気持ちを取り戻し

ともない動物なのかもしれないと考えてしまう人々の心理を巧く表している。

12 ここでも強調されるように、モンスターの脅威はモンスターそのものより怖い。ラヴクラフトはそのことを十分承知しており、それがまだ見ぬモンスターの恐怖を減らさないことも承知している。

た。あくまで議論を継続するために、自然を超越した何らかの怪物が実在することを否定しないと言いながらも、どんなに異常な畸形であっても名状しがたいなどということはなく、科学的に説明できるはずだと、マントンは念を押した。[13]彼の明晰さと頑固さに称賛を覚えつつも、私は土地の老人たちから聴き取った新事実を披歴した。幽霊にまつわる後年の言い伝えに現れる幻惑のごとき怪物は、どのような生き物よりも恐ろしいものだったと、私は端的に反論した。その野獣のような巨大な何かは、目に見えるときもあれば存在が感じられるだけのときもあった。この恐ろしい魑魅魍魎が、例の古屋敷に、その裏にある老人が埋められた穴倉に、そして、傍らに一本の木が芽を吹き彫られた名前が擦れて読めなくなった墓石に、月もない真っ暗な夜ごとに憑依するがごとく現れたのだ。裏づけが一切ない数々の伝承によって伝えられるように、この魑魅魍魎が人々を引き裂き殺めたかどうかは定かではないが、その存在は簡単に消えることのない深い痕跡を人々の心に残した。古くから土地に住んでいる極めて高齢の人たちには酷く恐れられているが、彼ら以降の二世代が、恐らくあまり顧みなかったためにその存在は忘れられ、言い伝えが絶えていたのだ。そして何

✣13　この文章を映画『エイリアン』と比較してみよう。『エイリアン』はまずフェイスハガーという未知の動物として紹介され、宇宙船ノストロモ号の乗組員は医療事態として対処する。しかし、事態が進展し凶暴で情け容赦ない捕食者としての正体が明らかになるにつれ、乗組員にとってそれは動物ではなくモンスターになっていく。モントンのような人が人間に理解可能な理論と科学的な理性によって問題を捉えようとすればするほど、それが説明不可能で本能的な本性を現したときの恐怖が増大する。人は自分を取り巻く世界を解決すべき問題の連続として捉えるからこそ、「解決され得ぬ」モンスター

より、君は美の理解に関して持論があるようだが、もし人という生き物の精神が放出するのが醜悪に軋んだものであるとしたら、悪意と混沌に満ちた倒錯の幻影のごとき、その悪行によって知られる不定形で朧げな何か、すなわち吐き気を催すような自然への冒涜そのものでしかあり得ない何かが、どうして理路整然とした表象によって表現され得ると言うのかね。[14] 死者たちの脳が紡ぎ合わせた悪夢を鋳型として、この世のものとも思えない恐怖が、名状しがたき何かに目を見張るような、金切り声を上げずにはいられないような形を与えるというのが、忌々しい真実ではないのかね。

時刻はすっかり遅くなっているはずだった。一匹の蝙蝠が、奇妙にも羽音も立てずに私を掠って飛んでいった。それはマントンにも触ったに違いない。暗くて見えなかったが、彼が腕を振り上げるのが感じられた。やがて彼が口を開いた。

「しかし、その屋敷はいまだ人が寄りつかぬままに、そこに立っているのかね」

「そうだ」私は答えた。「この目で見た」

「そこで君は何かを見たのかね。屋根裏部屋で。そしてそれ以外の場所の恐ろしさは際立つのだ。

[14] うひゃあ。10倍速で声に出して読んでみよう。

で」

「庇の下に骨が何本かあるのを見た。例の少年が見たのはそれかもしれない。繊細な子なら、窓に映った何かを見るまでもなく正気を失っただろう。その骨が何か一頭の生き物の骨だとすれば、それは幻覚に現れるような狂気に満ちた化け物だったに違いない。[15] そんな骨を放置しておくのは神への冒涜であると思い、私は袋を持って屋敷に戻り、裏手にある墓に骨を持っていった。そこには都合よく穴が開いていた。私は考えも無しに骨をその穴に入れたわけじゃない。君もあの頭蓋骨を見ていればわかったはずだ。あの頭骸骨には四吋《インチ》の角が生えていた。しかし顔も顎も、君や私と同じようだった」

ついに私は、正真正銘の戦慄がマントンの体を駆け抜けるのを感じた。[16] 彼はこちらに近寄ってきたが、好奇心は失っていなかった。

「それで、窓はどうなっているんだ?」

「窓はすでに無くなっていた。窓枠が落ちてしまったものもある。それ以外の窓にはガラスの痕跡すらない。小さなひし形の穴だけが残っている。そういう様式の窓なのさ。一七〇〇年以前に流行した時代遅れの格子

[15] 角の生えた頭蓋骨があるのに、まだ主人公によるで憶測でモンスターが描写されていることに注目。事実は小説より奇なりという言葉どおり、モンスターは恐れる心の中にこそ実在するということだ。

[16] ここでラヴクラフトは「モントンはゾッとした」と語るのではなく、「戦慄が走る」のを見せてくれる。前の章で言及した「語る」対「見せる」のいい見本だ。結果として、読者は文脈の流れから彼がゾッとしたことを理解できる。

窓だ。百年、いやそれ以上の間ガラスは無かったのだと思う。例の少年があそこまで行きつけたとしたら、彼が壊したのかもしれないが、そう言い伝えられてはいない」

モントンは再び考えに沈んだ。

「その屋敷を見たい。どこにあるんだ、カーター。ガラスがあろうが無かろうが、実際に探索してみたい。君が骨を埋めたという墓と、名前が刻まれていない墓石もだ。ちょっとは肝の冷えるようなものなんだろうな」

「君は屋敷を見ていたのだよ。暗くなる前に」

我が友人の動揺は想像以上だった。私の芝居がかった一言を聴いた彼は、居心地悪そうに私から離れ、思わず声を上げて息を飲み、先ほどまで抑えていた緊張を開放した。それは奇妙な声だった。さらに恐ろしいことに、彼の声に応える音があった。漆黒の闇の中に、私はきいっという音が反響し続けるのを聴いた。背後にある呪われた屋敷についている格子窓の一つが開く音だと、私は悟った。それ以外の窓の枠はすべて朽ちて落ちてしまっている以上、開いているのは忌々しい屋根裏部屋についている、あのガラスの無い邪悪な窓でしかありえなかった。[17]

[17] この表現は、五感を駆使してモンスターを描写するという章を思い出させてくれる。ラヴクラフトは恐ろしい音によってモンスターの存在を描写している。

さらに同じ方向から、反吐を催すような不快極まりない臭気が勢いよく押し寄せてきた。[18] 続いて、私のすぐ傍らから、人と怪物を埋葬したひび割れた恐怖の墓から、耳をつん裂くような叫び声が響いた。次の瞬間、目には見えない巨大な何かが地中から恐るべき力で私を攻撃し、私は呪わしいベンチから叩き落とされた。そしてこの忌まわしい墓所の、根が絡みついた墓石の隙間に手足を投げ出して倒れた。その間、先ほどまで座っていた墓からは窒息しそうな荒い息遣いが聴こえ、何かがぐるぐると回り始めた。光の届かない闇の中に蠢くミルトンが書いたような悪魔に率いられた地獄に墜ちた異形の亡者の群れを、想像せずにはいられなかった。凍りつくように冷たい強烈な旋風を巻き起こしながら渦が現れ、緩んだ煉瓦と漆喰のがたがた鳴る音が響いた。しかし、何が起きているのか理解する前に、有難いことに私は意識を失った。[19]

私より体つきの小さいマントンは、しかし屈強だった。私より深い傷を負ったにもかかわらず、彼も私とほぼ同時に目を開いた。彼と私は隣同士の診療用椅子の上にいた。そこが聖メリー病院の中だと気づくのに数秒を必要とした。看護の者たちが緊張と好奇の入り混じった目で私たちを囲

✣**18** 今度は酷い臭い。ここで〔原語で〕使われる「noisome」という言葉はラヴクラフトが生きた時代でも使われていなかったような古い表現だが、要は「臭い」という意味だ。この文章によって空気は酷い臭気を湛えてしかも冷たいことがわかる。一つの文が二つの感覚のスイッチを入れるのだ。

✣**19** この期に及んでもまだラヴクラフトはモンスターの外見を見せてくれない。それはもちろん意図的だ。人は視覚に頼りがちなので、音が聴こえ、臭いもして、感触もあるが、目には見えないという状況は怖いのだ。

み、私たちに何があったか思い出させようと、病院に連れてこられた顚末を教えてくれた。話を聞くうちに、私たちを見つけたのはある農夫だということがわかった。農夫は正午丁度に、メドウヒルの向こうにぽつりとある人気のない野原に倒れている私たちを発見したのだ。それはあの古ぼけた墓所から一哩《マイル》も離れた、大昔には屠殺場があったと噂される場所だった。[20]マントンは極めて重い傷を胸に二箇所、さらに背中には比較的軽い切り傷を負っていた。重傷を負ったわけではなかったが、私の体は得体の知れないみみず腫れと挫傷に覆われ、さらに先端が割れた蹄の跡もついていた。明らかにマントンの方が私より何が起きたが知っているはずだが、困惑と好奇心が入り混じった様子の医師たちが傷に関する説明を終えるまで、マントンは何も話さなかった。彼は口を開くと、獰猛な牡牛に襲われたと伝えた。牡牛がそのようなところに居たというのは、にわかには信じがたいことではあったが。

医師と看護師たちが去った後、吃驚と戦慄を覚えながら私は囁いた。

「なんてこった、マントン。何があったんだ？　この傷は……本当にそんなことだったのか？」

[20]「屠殺場がここにあった」と言い切らないのはなぜか、考えてみよう。

私の問いに対して彼が囁いた答えは半ば予想したとおりだったが、それを聞いた私は茫然とするあまり勝ち誇るのも忘れていた。
「違う……そんなことではまったくなかった。あっちにもこっちも……ゼラチンのようなものが……どろどろしながらも形があった。記憶力を尽くしても思い出せないような、幾千もの恐怖の形。目があった。傷ついた目もあった。地獄の穴だ。嵐のような渦巻き。あれ以上に忌み嫌うべきものなど、あってたまるものか。カーター、あれこそまさに名状しがたきものだ！✣21」

✣21 ついにその姿形が明らかになった。しかしその姿が、具体的な情報（「目はあった」）と、どう言葉にしていいかわからないもどかしさを反映したモントンの言葉遣いによって描写されることで、不安な気持ちが増大する。そして最後にマントンは「名状しがたきもの」という物語のタイトルに立ち返るのだ。

もしこれがあなたが初めて読むラヴクラフト作品だったとしたら、これが最後にならないことを祈る。友人のリチャード・ベイカーに、モンスターが登場する物語や小説の中で特に好きなものが何か尋ねたところ、こんな答えが返ってきた。「「ダンウィッチの怪」。私はラヴクラフトの大ファンだから。そして「ダンウィッチ」はラヴクラフトが書いたモンスター小説の中でもベストだ。ラヴクラフトの書いた物語の多くは、直接的な臨場性に欠ける。迫る脅威はさり気なく表現されたり仄めかされるか、またはまだ事態が発展途上で全貌を現すこともなく、それが何か酷いことをしている様子を見せてくれることもほとんどない。「ダンウィッチの怪」でラヴクラフトは、異星から来た何者かの恐怖がニューイングランド地方の小さな田舎町に解き放たれるおぞましい様子を書いている。この物語は、発端、発見、災厄、対決、最後の謎解きという正統的なストーリーアークに沿って展開する。そのような基本的な型を使ってこの世の物とも思えない衝撃的なモンスターを創造した作家は数少ないが、ラヴクラフトはそのやり方で、ウィルバー・ウェイトリーと彼の名も無き弟という怪物を見事に創造したんだ」。

ラヴクラフトこそ、モンスターのマスターと呼ばれるに相応しい。あなたも、モンスターのマスターの座を目指して、書きまくろう。

モンスター用語の手引き

作者であるきみと、きみの編集者が、論理的に一貫したモンスターを提供できるように、技巧的なヒント集を用意した。

人称——彼／彼女／それ

そのモンスターは「彼」なのか、それとも「彼女」なのか。はたまた「それ」なのか。覚えておくと便利なルールは、［英語では］モンスターは(そして動物は)「それ」という代名詞で受けることになっているということだ。ただし性別が明確にわかっている場合、その区別が重要である場合、そしてそのモンスターにちゃんと名前がついている場合は除く。

たとえば、皆知っているとおり、キング・コングは「彼」だが、それはアン・ダーロウにストーカーっぽい執着を示すからではなく、このモンスターにはちゃんと名前がついており、コングを崇める者たちが「彼」と呼ぶからだ。

ラヴクラフトが創作したショゴスのように不定形のモンスターの場合、性別は言及されず、「それ」として言及されることが一般的だ。

たとえばゾンビのように、元は人間だったモンスターの場合は、会話の中で元々の性別を反映した呼び方をされるかもしれないが、基本的には、やがて「それ」になっていく。「それ」という性別的に中立な代名詞を使うと、そのモンスターとの距離感が遠くなる。［英語の場合］それを「彼女」とか「彼」と呼びたくないという躊躇や、そう呼ぶに忍びない理由を感じさせる。ショゴスを女の子だと考えてしまった途端、ショゴスはちょっと怖くなくなる。異質感がちょっと弱まってしまう。逆も然りだ。あなたが書いている物語のヒーローの彼女が死んでゾンビになったとき、「彼女」は「それ」になり、ヒーローの心の中でも彼女が死んだことを表す。彼女は完全にモンスターに成り果てたのだ。

大文字

それがモンスターであっても、動物でも、階級でも何でも同じだが、今まで存在しなかった何かを創造して名前をつけるときに覚えておくと便利なルールは、わざわざまったく新しい文法を作り上げるのではなくて、すでに存在する似たものや近いものを見つけて、それに適用される規則に従うということだ。

新しいモンスターを創作するときは、動物の規則を使うといい。ラヴクラフトの著作[英語の原著]には頭文字が大文字のモンスターが多数登場するが、それはラヴクラフト節の一部なので彼専用にしておくのが無難だ。

あなたが「ブラッドストーカー(bloodstalker)」というモンスターを考案したとして、ブラッドストーカーというモンスターが一体以上存在するのが明確なら、大文字の「B」ではなくて小文字の「b」で始めるべきだ。もし熊(bear)に襲われる話なら、わざわざ大文字(Bear)にしないと言うのと同じ理屈だ。

例外として考えられるのは、その名前が何らかのブランド名である場合。SFならありうるが恐らくファンタジーではまずその可能性はない。モーフィアス博士がブラッドストーカー(Bloodstalker)を創造しました。ダッジ社のキャラバン(Dodge Caravan)とかプリマス社のディストラクティノイド(Plymouth Destructinoid)[架空の車名]といった乗用車の名前のように、大文字で始まる名前にしました、という感じだ。

そして、そのモンスターにちゃんとした名前がつけられているのなら、つまり「私の名前はフィルです」の「フィル」のような名前がそのモンスターにあるなら、「コング(Kong)」や「ゴジラ(Godzilla)」と同様、普通の規則に従えばよい。

ラヴクラフト語集

H・P・ラヴクラフトは、一九二〇年のユナイテッド・アマチュア・プレス・アソシエーション[★01][同人誌協会的なもの]に寄稿した「Literary Composition(文学的作文)」という文章で、このように書いている。

> 多様な読書体験が持つ最上の効能の一つに、語彙の拡大がある。この効能は多読に漏れなくついてくる。平均的な学徒であれば、選択し得る自らの語句の貧弱さに甚だしく妨害されることになり、長い文章を綴るにあたって単調さを避けられない自分に気づく。初心者が本を読むときは、優秀な著者が駆使する広範な表現に留意しながら読み、いつか自分で何かを書く日のために、適切な同義語を蓄えておくべきである。見慣れぬ言葉をその意味を解明することなく使うことは、避けなければならない。なぜなら、我々を文献学という領域の制覇という目標に近づけ、優雅かつ独自の表現を生み出すための準備を助けてくれるのは、日々の誠実かつ入念な調べもの以外のなにものでもないからである。

というわけで、クトゥルフ・チック★02というウェブサイトのご厚意によって、H・P・ラヴクラフトが好んで使った怪物的な表現を、使用された原文の一部の引用とともに、掲載させていただく。

▼尋常ならざる――ABNORMAL
エイクリーの許しを得た私は、小さなオイルランプを点火するとその火を細め、少し離れた書棚の、不気味に佇むミルトンの胸像の傍らに置いた。ほどなく私はそれを後悔した。私を招待した男の無表情な顔と生気のない手が、尋常ならざる不気味さでランプの光の中に、死体のように浮かんだからだ。 ――「闇に囁くもの」

▼嫌厭すべき――ACCURSED
二番目に聴こえた声こそが、重要だった。その声は、英語の文法に従って学者のごとき調子を伴い、人間の言葉によって発されているにもかかわらず、どのような人類にも似つかないような嫌厭すべきぶうんという音を伴っていたのだ。 ――「闇に囁くもの」

▼姿形が定まることのない――AMORPHOUS
よろよろと立ち上がりながら、姿形が定まることのない笛吹が転がって視界の外に消えるのを私は見た。しかし二匹の化け物は辛抱強く私を待ち続けた。 ――「魔宴」

▼いにしえの――ANTEDILUVIAN
ローマの遺跡の中で探照灯を手に立っていたウィリアム卿は声を出して、私が知る限りこれ以上はありえないような衝撃的な儀式について、翻訳した。そして、キュベレー信仰の祭司が発見し交流を結んだいにしえのカルト集団が何を食べたのかを告げた。 ――「壁の中の鼠」

▼神への冒涜――BLASPHEMOUS
恐怖に麻痺した彼の頭は、自分が対峙した化け物、その存在自体が神への冒涜としか言いようのない化け物、間違いなく息子タデウスや家畜たちと同じ名状しがたい運命をたどったあの化け物のこと以外は、考えられなくなっていた。 ――「宇宙からの色」

▼遺体安置所のような――CHARNEL
その場の惨状を私は言葉で描写できない。したら気を失ってしまうだろう。死体置き場のように部位別に整理されて山と積まれた人体。血液と整理しきれなかった人体の部位で足首の高さまで覆われた、ぬるぬるとした床。そして黒く落ちた影の遠い隅に、亡霊のごとく煌めく青緑がかった仄かな炎の上で熱され、泡を立てながら成長している爬虫類のような姿の異常なものたち。あの部屋は狂気に満ちていた。 ――「死体蘇生者ハーバート・ウェスト」

▼一つ目巨人のごとき——CYCLOPEAN

音の代わりに下の方から、微かな、得体の知れない悪臭が立ち上ってきた。この一つ目巨人のごとき恐怖の巣窟まで降りていって巣窟の主に立ち向かう代わりに、男たちがその縁で口論を戦わせたのは無理からぬことだった。

——「ダンウィッチの怪」

▼悪魔の所業と思わせる——DAEMONIAC

地獄の穴から吹いてきた邪な嵐のような恍惚の叫びと喚き声が暗くなった木立を吹き抜け反響し、野獣のごとき憤怒と熱狂に許可された放蕩を、自らを鞭打ちながら悪魔の所業を思わせる域まで高めていった。

——「クトゥルフの呼び声」

▼煌煌——EFFULGENCE

眼差しをちらりと上に向けたとき、私は見てしまった。私が持つ消えかかったランプの光を反射した二つの光が遠くに瞬くのを。二つの反射した煌めきは、毒々しく、見間違えようもない光を煌煌と増し、見た者に気の狂わんばかりのぼんやりとした記憶を呼び覚ました。

——「蠢く恐怖」

▼かくもあり難き——ELDRITCH

それを描写することは不可能だった。絶叫を催すような、永遠とも思われるような狂気に満ちた、かくも深い奈落を表す言葉など存在しなかった。あらゆる物体に、力に、そして宇宙的な秩序に対するかくもありえ難き矛盾を現す言葉など。

——「クトゥルフの呼び声」

▼異臭——FOETED

地面に溜まった緑がかった黄色い膿漿とヤニのごときねばねばして異臭を放つ液体の中で、体を折って側面を下に横たわるそれは、身の丈九呎にもおよび、犬の攻撃によって被服のすべてのみらず、皮膚の一部が剝がされていた。

——「ダンウィッチの怪」

▼菌状の——FUNGOID

己の肉体をもって宇宙空間を移動できない人間が三人、そして菌状の生き物が六体。そして海王星からきたものが二体(自分の星にいるこいつらの体を見たら度肝を抜かれること請け合いだ!)。残りは銀河の果てのさらに向こうの、特段に興味深い暗い天体の中心にある洞穴からきたものたちだ。——「闇に囁くもの」

▼戯言のように——GIBBERING

そして、この錆びた鉄製の拘束着の下に隠されるように、戯言のようなおぞましさが、背徳が、そして悪魔の所業が蠢いていたのだ。これこそ、まさに「名状しがたきもの」の極みというものだ。

——「名状しがたきもの」

▼描写不可能——INDESCRIBABLE

今まさに醜く歪んだ人間の群れが飛び乗ってきたその様子は、いかなる手段でも描写不可能だった。描写できるものがこの世にあるとしたら、シドニー・サイムかアンソニー・アンガローラが描いた絵くらいのものだろう。

——「クトゥルフの呼び声」

▼光にあわせて色がうつろう——IRIDESCENT

気ままに動き回っているものたちのうち、二体は多少動きに規則性があり、そのうち一体はかなり大きめの、回転するにつれて光にあわせて色がうつろう偏長楕円形の泡で出来ており、もう一体はかなり小さめで、急速に表面の立体角を変化させる色彩不明の多面体だった。この二体が彼に気づき、彼が巨大な多数のプリズムや迷路、立体と平面の塊や外見的には建物に見えるものの間を移動するにつれ、漂いながらつきまとったり先回りした。その間、何処からともなく聴こえてくる金切声や叫び声がいよいよ大きさを増し続ける様は、耐え難く強烈な化け物じみた絶頂を迎えているかのようだった。

——「魔女の家の夢」

▼それ以上忌み嫌うべきものなどない——LOATHSOME

豚たちは極端に太ったかと思うと、突然、誰にも説明できないような、それ以上忌み嫌うべきものなどない何かに変化を遂げた。

——「宇宙からの色」

▼潜み蠢く——LURKING

君にも異論はあるだろうし、私も自分自身にそう言い聞かせようとはするのだが、それでも私に言えるのは、まだその全貌が完全に暴かれていない丘の中には、考えるだに忌々しい宇宙からの干渉が潜み蠢いているのだよ。そして宇宙から侵入してきた者が送りこんだ間諜や密使が、人間の世界に紛れているのだ。

——「闇の中の囁き」

▼名づけようもない——NAMELESS

私は突然理解した。名づけようもない恐怖が最初から集結していたということを、私は知っていたのだ。宇宙規模の恐るべき邪悪な存在が我が家の屋根の下を足掛かりにして、血と惨劇を招かんとしていたのだ。

——「メデゥサの呪い」

▼反吐を催すような不快極まりない臭気——NOISOME

北極付近では、あたかも反吐を催すような不快極まりない臭気を放つ腫瘍と有害な気体でできているような泥沼が蒸気を噴き上げ、絶え間なく迫りくる波が激しく振動しながら、渦を巻いて海の深みから浸食してきた。

——「這いよる混沌」

▼奇妙に——SINGULAR

四本脚の何かが残したと思われるその足跡を辿っていくと、前脚と後脚の動きが奇妙に調和しておらず、二本だけが体を動かすために運動していると想像された。

――「洞窟に潜むもの」

▼眩惑のごとき――SPECTRAL

そうだとしても、私が感じた眩惑のごとき恐怖が弱まるわけではなかった。よしんばこれが生きた害獣どもの仕業だったとしても、ではなぜモリスはそいつらが発する気味の悪い音を聞かなかったのだろうか？

――「壁の中の鼠」

▼鱗に覆われたような――SQUAMOUS

そいつの背中は黄色と黒の斑だった。その背中が鱗に覆われた様子は、ある種の蛇を思わせた。

――「ダンウィッチの怪」

▼陰気な――TENEBROUS

この旋回し続ける宇宙の墓場を引き裂いて、くぐもった、聴くだけで発狂しそうな太鼓の響きと神を冒涜するかのような甲高く単調な笛の音が、時間を超越した、どこにあるとも知れぬ明かり一つ無い閉じた空間から伝わってきた。どんどんと鳴る嫌悪感を催さずにはいられない音と笛の音にあわせて、ゆっくりと、不器用かつばかげた動作で、巨大で陰気な究極の神々が、目も見えず、声も出せず、精神も持たぬガーゴイルたちが、踊っていた。その魂はニャルラトホテプなのだった。

――「ニャルラトホテプ」

▼触手がのたうつ――TENTACLED

どろどろと柔らかく、触手がのたうつ頭が、未発達の羽が生え鱗で覆われた気味の悪い体の上にのっていた。しかしながら、その存在を衝撃的に恐ろしいものにしていたのは、全体の輪郭であった。

――「クトゥルフの呼び声」

▼口では言い表しようのない――UNMENTIONABLE

思わず気を失いそうになった彼は倒れそうになったが、すぐに気を取り直した。彼の友人リチャード・ピックマンは行方をくらます前に屍食鬼の絵を見せてくれていたので、彼はその犬のような顔のことも、沈みこむような体つきのことも、口では言い表しようのない特異な外見のことも、知っていたのだから。

――「ピックマンのモデル」

▼名状しがたき――UNNAMABLE

これから、太古より生き延びている恐怖の兆候について伝えるつもりだが、もし私の言葉が人々に南極の内部にあるものに干渉するべきではないと思わせるに足りぬとしても、あるいは少なくとも禁じられた秘密と何万年もの間眠っている呪われた、そして人の手で作られたのではない廃墟の表面を、深くこじ開けるべきではないと思わせるに足りぬとしても、この名状しがたき、そして計り知れない邪悪に対する責任を、私が負うことはできない。

——「狂気の山脈にて」

▼声に出して言うことも憚られるような——*UNUTTERABLE*

絶対的な静寂とどこまでも荒涼と広がる空間の中に棲息している、声に出して言うことも憚られるようなおぞましいものについて、言葉で伝えようなどと望むべきですらないのだろう。

——「ダゴン」

以上ラヴクラフト語集は、注意深く使うこと。さもなくば名状しがたい幻惑のごとき闇があなたを戦慄すべき地獄の光景の中に引きずりこむであろう！　ラヴクラフト本人も、こう言っている。

語彙を増やすにあたっては、新たに獲得した言葉を誤用しないように注意を払うべきである。一見同じ意味を持つと思われる言葉と言葉の間には、繊細な差異が横たわっていること、そして言語というものは常に知的な配慮を持って選択されなければならないということを、忘れてはならない。

★01—— www.brainpickings.org/index.php/2013/01/11/h-p-lovecraft -advice-on-writing/ and Writings in the United Amateur 1915–1922

★02—— H.P. Lovecraft, *The Complete Works of H.P. Lovecraft*, Washington, DC: Squid Studios, 2011. E-book. See: cthulhuchick.com

参考図書

以下、著者のインタビューに応じてくれた作家たちのお勧めの本を紹介する。

リン・アビー　ベストセラー小説『Thieves' World』の共同執筆者

ゼロ・モステルが書いた『Zero Mostel's Book of Villains(ゼロ・モステルの悪役の本)』がお勧め。でも残念なことに、絶版になってずいぶん経ちますね。モンスターに対する新しい視点をくれた本ですが、まったく知らなかったことを教えてくれたというほどではありませんでした。もう少し普通のモンスターに関する情報が載っている本もありますが、私が知りたいことはとても幅広いので、参考にする本も一冊には絞れないのです。最初は、映画やマンガ、お伽噺や神話を通して、少しずつモンスターに出会っていきました。部分的ですがモンスターについて書かれた本で、私が最初に読んだのは、エディス・ハミルトンの『古代世界の神々』です。もし目に愉しい本が読みたければクリストファー・デルの『Monsters: A Bestiary of Devils, Demons, Vampires, Werewolves, and Other Magical Creatures(モンスターズ：悪魔、魔物、吸血鬼、狼憑き、その他神秘的な生物たちの本)』を開きます。

ブレンダン・デニーン　『The Nine Cycle』の著者

ジョン・ガードナーの『Grendel(グレンデル)』一択で決まり。ぶっちぎりでお薦め。文学史上最も有名なモンスターに人間味を与えて、同時に神話を解体し、セオリーやコンセプトもぶっ壊すんだ。

マーティン・J・ドアティ　『Shadow of the Storm』の著者

バーバラ・ハンブリーの『Time of the Dark(闇の時間)』がお薦め。ダークは異星人でモンスター。やつらは、暗闇に対する本源的な恐怖に人格を与えたもので、しかも彼らの行動は理に適っている。人類に対してまったく友好的ではないが、それは彼らが「邪悪」だからではなくて、単にそういうやつらだからだ。登場人物たちの身に何が起こるかとても気になるように書かれていて、それがすごく重要。なぜなら、どうでもいい人が食べられても、あまり怖くないからね。

デヴィッド・ドレイク　『Hammer Slammers』その他の著者

ジョン・K・クロスの『The Angry Planet(怒れる惑星)』。一〇歳か一一歳のときに読んだ。クロスの書いた火星には、二種類の知性が存在する。美しい人々と醜いものたちだ。後者は完全な怪物。巨大で凶悪で、触手の生えたキャベツみたいなやつだ。最初に読んだのは一九五六年だが、クライマックスは今読んでも怖くて鳥肌が立つ。

訳者あとがき

モンスターを書く。怖く書く。フィリップ・アサンズはそのために役立つ視点、考え方、具体的な書き方を整理して解説してくれる。個人的に恐怖症ワーストテンはぴんとこないが、「わからないもの」「理解できないもの」が怖いというのは腑に落ちる。「わからないもの」といえば、神秘性を失ったモンスターの見本として序文にゴジラが挙げられているのは興味深い。一九五四年に八幡山の尾根に顔を覗かせて以来、看板スターになる過程で正体不明の恐ろしさは失われた。国際スターとしての魅力を立てたレジェンダリー版ゴジラは大きく強くておっかないが、怖くない。一方、得体の知れぬ不気味さを取り戻した『シン・ゴジラ』は、何を考えているかわからない目からして怖い。つまり、「わからない」という、落ち着かない、怖い気持ちをわからないなりにわかろうと形を与えたものが、モンスターの本質なのかもしれず、それを理解しようとする(結果的に失敗するとしても)課程が、モンスターを書くということなのかもしれない。H・P・ラヴクラフトも「名状しがたきもの」の一節で、勿体をつけた言い回しで頭の堅い友人氏に対してそう語っている。

「わからない」といえば、本書に頻繁に引用されるラヴクラフトと彼の怪物たち。どこから来たかも、姿形も、名前の読み方すらわからない恐怖! 本書で何度も指摘されているように、正体がわかった途端にモンスターはモンスターではなくなる。ならば、クトゥルーなのかクトゥルフなのかクルウルウなのかわからないという居心地の悪さは、まさにモンスターの要件と言えるのかもしれない。

そうは言っても、この神をも畏れぬ怪物の名前を何らかの文字列にしないわけにもいかない。そこで、ラヴクラフト本人の解釈[★01]を参照してみた。

> この地獄のごとく恐ろしい存在につけられた名前は、人間とは異なった発声器官を持つものたちによって考案されたのだ。ゆえに人間の発話機能とは一切関連も持たない。個々の音節は、私たちのそれとは生理学的にまったく違った器官の働きによって決定されたものなので、人間の喉

で同じ音を出すのは絶対に不可能なのだ。人間の臓器によって真似することも、人間のいかなる文字によっても記録し得ない音ではあるが、敢えて記すなら実際の音は[Khlûl'-hloo]であり、最初の音節は強く深く喉の中で発声する。[ɯ]はそのまま「ウー」という音なので、最初の音節は[klul]すなわち「クルール」という音と言えなくもなく、ゆえに[h]は喉から出す強い音を表しているのだ。

ラヴクラフトが一九三四年に作家で友人のデュウェイン・W・リメルに当てた手紙によると、[Cthulhu]は「ク(喉鳴らして)ルール(再び喉鳴らし)ルウ」といった感じの音らしい。

しかし、その音が人間の発声器官で再現できず、いかなる文字でも記録し得ないのであれば、それがクトゥルーでもクトゥルフでも、誤差と言える。本書では定着度と私自身の好みから「クトゥルフ」にしたが、人によってはそう聴こえた、ということで。でも、もしあなたに本書を声に出して読む機会があったら、是非ラヴクラフトが友人に解説したように力強く喉を鳴らしていただきたい。

というわけで皆さんも、自分が怪物にならない程度に心の闇の深淵を覗きこみながら、謎めいたモンスターを創造して私たちの肝を愉しく冷やしてください。

最後に、神をも畏れぬ点数の資料収集を鬼のごとき有能さでこなしながら、私の文章に編集の観点から形を与える手助けをしてくれたフィルムアート社の田中竜輔さんに、この場を借りて感謝を。ほんとうに助かりました。

島内哲朗

★01——https://www.theguardian.com/books/2014/aug/20/ten-things-you-should-know-about-hp-lovecraft

索引

人名

ア

カ

サ

タ

映像作品

日本未公開のものについては( )に直訳を加えた

0–9, a–z

ア

カ

サ

テキスト作品

未邦訳のものは（ ）に題名の直訳を加えた

ア

カ

参考文献

既訳を参照した日本語版書籍がある場合には、末尾に( )で書誌情報を加えた。

長編作品

- *Excession* by Iain M. Banks
- *Miss Peregrine's Home for Peculiar Children* by Ransom Riggs(ランサム・リグズ『ハヤブサが守る家』、山田順子訳、東京創元社、2013年)
- *Ghost Story* by Jim Butcher
- *Valentine Pontifex* by Robert Silverberg(ロバート・シルヴァーバーグ『教皇ヴァレンタイン』、森下弓子訳、早川書房、1987年)
- *Prey* by Michael Crichton(マイケル・クライトン『プレイ —獲物— 』、酒井昭伸訳、早川書房、2006年)
- *Blackstaff* by Steven E. Schend
- *The Night Lands* by William Hope Hodgson(ウィリアム・ホープ・ホジスン『ナイトランド』、荒俣宏訳、原書房、2002年)
- *A Princess of Mars* and *The Warlord of Mars* by Edgar Rice Burroughs(エドガー・ライス・バロウズ『火星のプリンセス』『火星の大元帥カーター』、小笠原豊樹訳、小学館、2012年)
- *Harry Potter and the Prisoner of Azkaban* by J.K. Rowling(J・K・ローリング『ハリーポッターとアズカバンの囚人』、松岡佑子訳、静山社、2001年)
- *The White Dragon* by Anne McCaffrey(アン・マキャフリイ『白い竜』、船戸牧子訳、早川書房、1982年)
- *Frankenstein; Or, The Modern Prometheus* by Mary Wollstonecraft Shelley(メアリー・シェリー『フランケンシュタイン』、森下弓子訳、東京創元社、1984年)
- *Dune* by Frank Herbert(フランク・ハーバート『デューン 砂の惑星』、酒井昭伸訳、早川書房、2016年)
- *Against a Dark Background* by Iain M. Banks
- *The Coldest Girl in Coldtown* by Holly Black
- *The Haunting of Dragon's Cliff* by Philip Athans & Mel Odom
- *Dragonflight* by Anne McCaffrey(アン・マキャフリイ『竜の戦士』、船戸牧子訳、早川書房、1982年)
- *Jurassic Park* by Michael Crichton(マイケル・クライトン『ジュラシック・パーク』、酒井昭伸訳、早川書房、1991年)
- *A Wizard of Earthsea* by Ursula K. Le Guin(アーシュラ・K・ル=グウィン『ゲド戦記1 影との戦い』、清水真砂子訳、岩波書店(ソフトカバー版)、1976年)
- *Red Nails* by Robert E. Howard(ロバート・アーヴィン・ハワード「赤い釘」、『黒河を越えて―― 新訂版コナン全集〈4〉』所収、宇野利泰+中村融訳、2007

年）

- *Cujo* by Stephen King（スティーヴン・キング『クージョ』、永井淳訳、新潮社、1983年）
- *The House on the Borderland* by William Hope Hodgson（ウイリアム・ホープ・ホジスン『異次元を覗く家』、荒俣宏訳、2015年）

短編作品

- “The Little Green God of Agony” by Stephen King（スティーヴン・キング「苦悶の小さき緑色の神」、『夏の雷鳴　わるい夢たちのバザールII』所収、風間賢二訳、文春文庫、2020年）
- “The Cold Step Beyond” by Ian R. MacLeod
- “The Wendigo” by Algernon Blackwood（アルジャーノン・ブラックウッド「ウェンディゴ」、『ウェンディゴ』所収、夏来健次訳、書苑新社、2016年）
- “The Double Shadow” by Clark Ashton Smith（クラーク・アシュトン・スミス「二重の影」、『ヒュペルボレオス極北神怪譚』所収、東京創元社、2011年）
- “Leinigen Versus the Ants” by Carl Stephenson
- “Pretty Monsters” by Kelly Link
- “The Woman Who Fooled Death Five Times” by Eleanor Arnason
- “The Damned Thing” by Ambrose Bierce（アンブローズ・ビアス「怪物」、『世界恐怖小説全集第5 怪物』所収、東京創元社、1958年）
- “The Variable Man” Philip K. Dick（フィリップ・K・ディック「変数人間」、『変数人間』所収、大森望編、浅倉久志訳、2013年）

ノンフィクション

- *On Monsters and Marvels* by Ambroise Paré（アンブロワーズ・パレ「怪物と驚異について」、『原典 ルネサンス自然学 上巻』所収、黒川正剛訳、2017年、名古屋大学出版会）
- “The ‘Uncanny’” by Sigmund Freud（ジグムント・フロイト「不気味なもの」、『フロイト全集 第17巻』所収、藤野寛訳、2006年）
- *The Hot Zone* by Richard Preston
- *Killing Monsters: Why Children Need Fantasy, Super Heroes, and Make-Believe Violence* by Gerard Jones
- *The Natural History of the Vampire* by Anthony Masters

その他

- *Book of Pages* by David Whiteland
- Primeval Thule Campaign Setting (Sasquatch Game Studio LLC)
- *Advanced Dungeons & Dragons Dungeon Master's Guide* by Gary Gygax

H・P・ラヴクラフト関連作品

短編作品の訳出においては『ラヴクラフト全集1–7』(大瀧啓裕訳、東京創元社、1974–2005年)を参照した。

- "The Unnamable"「名状しがたきもの」
- "The Other Gods"「蕃神」
- "Pickman's Model"「ピックマンのモデル」
- "TheWhisperer in Darkness"「闇に囁くもの」
- "The Shadow Out of Time"「時間からの影」
- "Dreams in the Witch-House"「魔女の家の夢」
- "At the Mountains of Madness"「狂気の山脈にて」
- "Beyond the Wall of Sleep"「眠りの壁の彼方」
- "Dagon"「ダゴン」
- "The Shadow Over Innsmouth"「インスマウスの影」
- "The Dunwich Horror"「ダンウィッチの怪」
- "The Dream-Quest of Unknown Kadath"「未知なるカダスを夢に求めて」
- "Herbert West: Reanimator"「死体蘇生者ハーバード・ウェスト」
- *Writings in the United Amateur 1915–1922*

◎著者――**フィリップ・アサンズ**｜***Philip Athans***

フィリップ・アサンズは、ニューヨーク・タイムズ紙ベストセラーの『Annihilation』を含むファンタジーやホラー小説に加えて『The Guide to Writing Fantasy and Science Fiction』等十冊以上の書籍を上梓している。多数のクリエイティブ系大会やコンベンションに出席した経験を持つアサンズは、フリーランスの編集者で出版コンサルタントでもある(www.athansassociates.com)。ブログ「Fantasy Author's Handbook」は、毎週火曜日に更新される。Twitterアカウントは@PhilAthans

◎訳者――**島内哲朗**｜***Tetsuro Shimauchi***

映像翻訳者。字幕翻訳を手がけたモンスターが出てくる主な劇映画には『ゲゲゲの鬼太郎千年呪い歌』『GANTZ:O』『事故物件　怖い間取り』『彼岸島DELUXE』『鋼の錬金術師』『小さき勇者たち・ガメラ』『大怪獣のあとしまつ』『喰女』『いばらの王』そしてテレビシリーズ『仮面ライダーアマゾンズ』等がある。翻訳した書籍には、カール・イグレシアス『「感情」から書く脚本術　心を奪って釘づけにする物語の書き方』、ジェシカ・ブロディ『Save the Catの法則で売れる小説を書く』、イアン・ネイサン『ウェス・アンダーソン　旅する優雅な空想家』(以上、フィルムアート社)等がある。

モンスターを書く

創作者のための怪物創造マニュアル

2023年8月10日　初版発行

著者……フィリップ・アサンズ
序文……H・P・ラヴクラフト歴史協会
翻訳……島内哲朗
日本語版ブックデザイン……小沼宏之
日本語版装画……はるやまひろし
日本語版編集……田中竜輔

発行者……上原哲郎
発行所……株式会社フィルムアート社
〒150-0022
東京都渋谷区恵比寿南1-20-6
第21荒井ビル
Tel. 03-5725-2001
Fax. 03-5725-2626
http://www.filmart.co.jp

印刷・製本……シナノ印刷株式会社

ISBN978-4-8459-2306-9　C0090